글로벌인재들이 배워야 하는

박태준리더십

글로벌인재들이 배워야 하는 박태준리더십

2020년 11월 25일 1판 1쇄 인쇄
2020년 12월 1일 1판 1쇄 발행

저 자 : 박보영 박노일 박행신 김남규 정기준
발행인 : 한정주
발행처 : 교육과학사 | POSTECH 박태준미래전략연구소

경기도 파주시 광인사길 71
전화 : (031) 955-6956~8 / 팩스 : (031) 955-6037
Home-page : www.kyoyookbook.co.kr / E-mail : kyoyook@chol.com
등록 : 1970년 5월 18일 제2-73호

정가 17,000원

ISBN 978-89-254-1502-4
ISBN 978-89-254-1552-9(set)

Printed in Korea.

이 책에 수록한 박태준 일화는 이대환 작가의 《박태준 평전》(2016, 아시아)에서 발췌한 것임을 밝혀두며, 이를 집필진에게 허락해준 이대환 작가와 아시아출판사에 깊은 감사를 드립니다.

글로벌인재들이 배워야 하는

박태준리더십

박보영 박노일 박행신 김남규 정기준

교육과학사 | POSTECH 박태준미래전략연구소

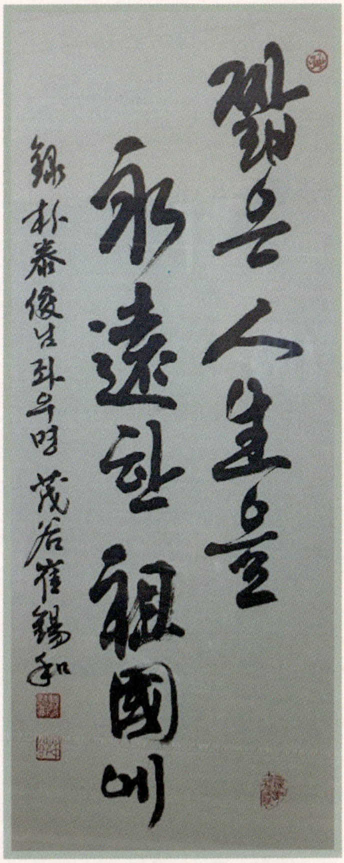

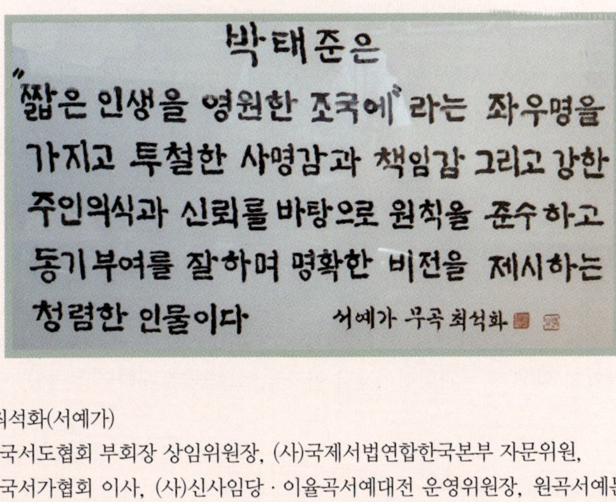

*무곡 최석화(서예가)

(사)한국서도협회 부회장 상임위원장, (사)국제서법연합한국본부 자문위원, (사)한국서가협회 이사, (사)신사임당 · 이율곡서예대전 운영위원장, 원곡서예문화상 수상, 예술의 전당 서예아카데미 서예지도교수, 대한민국서도대전등 심사위원, 무곡서예연구실 대표

축하의 글

미래를 열어갈 청소년들의 리더십 교육에 도움이 되길

포스텍 박태준 미래전략연구소장 김승환[1)]

최근 포스코교육재단 소속의 학교현장에 근무하셨던 다섯 선생님들께서 고 박태준 포스코 회장님의 '리더십'을 정리하고 청소년들을 위한 교본을 만들었다는 반가운 소식을 접했습니다. 진심으로 축하드립니다!

잘 알려진 바와 같이 고 박태준 회장님은 포스텍(포항공대)의 설립이사장님이기도 하며, 오직 '짧은 인생을 영원한 조국에'라는 좌우명으로 '제철보국'과 '교육보국'의 투철한 국가적 소명의식으로 평생을 사신 분이셨습니다. 그분은 1968년 포스코를 창립해 대한민국 산업화를 견인하고, 세계 최고 수준의 철강회사로 성장시키셨습니다. 이어 1986년 포스텍을 설립하고 고 김호길 초대총장님을 초빙해 세계적인 연구중심대학으로 도약하게 하는 등 커다란 족적을 남기셨습니다. 한편 포스코 교육재단을 설립해 재단 내의 유, 초, 중, 고등학교들을 통

1) 물리학박사, 포항공과대학교 교수, 포항공대 박태준미래전략연구소 소장, 기초연구연합회 회장, 한국과학창의재단 이사장, 포항공대 대학원장 역임

해 미래 세대들을 지속적으로 양성하는 등 우리나라 유초중등 교육에도 크게 기여하셨습니다.

한마디로 그 분의 삶 자체는 '제철보국'과 '교육보국'의 정신을 바탕으로 국가와 민족의 번영에 이바지하려는 투철한 신념의 리더이자 헌신적인 공인의 모습이었습니다. 포스코교육재단의 교육 현장에서 평생을 매진하셨던 선생님들께서 박태준의 리더십에 대한 책을 펴내시게 된 것은 의당 마땅한 일이기도 하고, 박태준미래전략연구소의 목적과도 부합되는 일이라 연구소장으로서도 깊이 감사드립니다.

고 박태준 설립이사장님은 늘 국가미래전략의 일익을 담당하는 연구소의 필요성을 강조해 오셨습니다. 박태준 미래전략연구소는 그분의 유지를 기리는 사람들의 뜨거운 열망을 모아 2013년 포항공과대학교 재단 부설연구소로 설립되었습니다. 연구소는 다가오는 미래사회의 모습을 조망하는 한편, 우리나라가 새로운 위기를 극복하고 더 나은 미래로 함께 나아가야 할 길을 모색하기 위해 여러 사람들의 뜻과 지혜를 모아가는 곳입니다. 이는 곧 현 시대를 넘어 다음 세대의 행복, 다음 세기의 번영을 내다보셨던 그분의 꿈이자 소망이었습니다.

이 책은 격동의 시대를 헤쳐 나가는 비전과 안목을 보여준 박태준리더십을 일목요연하게 8개의 핵심요소로 추출하고,

그에 따른 일화 또한 8개씩 담아내는 등, 매우 구체적이고 용의주도하게 구성되었습니다. 특히 이를 바탕으로 별책 '박태준리더십 워크북'을 통해서 '대립토론' 같은 체계적 지도 설계가 가미된 점은 미래세대를 위한 리더십 교육 측면에서 높이 평가합니다.

집필진 선생님들께서 평생을 교육현장에서 갈고닦은 교육경험을 바탕으로 열정을 쏟아 낸 이 책이 미래를 열어갈 우리 청소년들의 리더십 함양을 위한 귀중한 교육 자료로 교육 현장에서 널리 활용되기를 진심으로 바랍니다.

다시 한번 청소년을 위한 '박태준리더십'의 발간을 진심으로 축하드립니다.

감사의 글

1987년부터 포스코 교육재단(이사장 박태준)에 근무하면서 박태준 이사장님의 교육이념을 현장에 적용하는 데 심혈을 기울이며 그분의 삶의 철학을 알게 되었습니다.

짧은 기간 안에 포스코를 글로벌 제철소로, 포스텍을 글로벌 대학으로 성공시킨 그분의 업적은 세계사에 유례가 없을 만큼 대단한 것이었습니다.

박태준 이사장님은 일반적인 CEO들이 추구하는 방식으로 기업을 운영하지 않았습니다. 즉, 기업의 최대 목표요 존재 가치인 이윤 창출에 목표를 두지 않았습니다. '짧은 인생을 영원한 조국에!'를 좌우명으로 삼고, '제철보국'과 '교육보국'의 기치를 내걸고 한 삶을 소진하였습니다. 이윤 창출보다는 국가 이익에 부합되는 기업 경영을 최우선 목표로 삼아 마침내 기적과도 같은 업적을 이루어냈습니다.

세계 굴지의 기업 CEO들 역시 기업 경영의 훌륭한 리더십을 갖고 있을 것입니다. 하지만 그들은 이윤 창출이 최우선 목표로 된 개별 기업에 적합한 리더십을 발휘하였습니다. 박태준 이사장님의 리더십은 국가 이익이 그 바탕을 이루고 있기 때문에 다른 CEO들의 리더십과 당연히 결이 다를 수밖에 없습니다. 그분의 리더십은 개별 기업에 적합한 '사적 리더십'이 아니라 '제철보국'에 적합한 '공적 리더십'이라 할 수 있습니다. 박태준 이사장님 생전에 덩샤오핑 주석의 요청으로 중국의 제철소 건설에 자문하였던 일화는 '공적 리더십'을 승화한 사례라 할 것입니다.

요즈음 자라나는 청소년들이 가치관 형성에 많은 혼란을 겪고 있다고 합니다. 개인주의적 성향인 '사적'인 영역이 중심 가치로 여겨지면서 '공적'인 가치가 점차 사라지는 사회로 바뀌어 가는 현상 때문이라고 합니다. 더 나아가 그들에게 롤 모델이 될 만한 인물을 내세우기 어렵기 때문이라고도 합니다. 이러한 사회 현상을 감안하면 박태준 이사장님의 '공적 리더십'이야말로 시의적절한 롤 모델이 될 수 있을 것입니다.

이러한 시대적 요구에 부응하기 위하여 예전에 포스코 교육재단에 근무하였던 5명의 교육자들이 모여 2년여 동안 박태준의 리더십을 정립하는 작업을 하였습니다. 분열되고 갈등의 폭이 커가는 우리 사회에 정신적인 리더로서 박태준리더십을 정립하여 전파하는 일은 시대적으로나 국가적으로나 커다란 의미가 있다고 판단하였기 때문이었습니다.

우리 집필자들이 박태준리더십을 정립하는 데 크게 도움이 된 관련 자료들을 자세히 안내합니다.

*권상우, 『박태준 경영철학1』, 아시아, 2012.
*박철순, 『박태준 경영철학2』, 아시아, 2012.
*백기복 외, 『박태준의 리더십』, 아시아, 2012.
*서갑경, 『최고기준을 고집하라』, 한국언론간행회, 1997.
*서갑경, 『박태준의 삶과 시대정신』, 일곡문화재단, 2014.
*송복 외, 『박태준사상, 미래를 열다』, 아시아, 2012.
*송복 외, 『태준이즘』, 아시아, 2012.
*안종진 외, 『박태준의 삶과 리더십』, 포스코교육재단&박태준미래전략연구소, 2014.
*이경윤, 『박태준처럼』, (주)FKI미디어, 2013.
*이대환, 『세계 최고의 철강인 박태준』, 현암사, 2004.
*이대환 외, 『청암 박태준』, 아시아, 2012.
*정인재 외, 『박태준의 정신세계』, 아시아, 2012.
*조정래, 『박태준』, 문학동네, 2007.
*최동주 외, 『포스코의 창업정신과 청암의 리더십』, 아시아, 2014.
*허남정, 『실종된 한일관계 박태준이 답이다』, 도서출판 씽크스마트, 2014.
*박태준, 『쇳물은 멈추지 않는다』, 중앙일보 2004.8.1.-12.8.(90회 연재)

특히 『박태준의 리더십』의 저자 백기복, 『최고기준을 고집하라』와 『박태준의 삶과 시대정신』의 저자 서갑경, 『박태준사상, 미래를 열다』의 공동저자 송복, 최진덕, 전상인, 김왕배, 백기복, 『박태준처럼』의 저자 이경윤, 『세계 최고의 철강인 박태준』의 저자 이대환, 위인전 『박태준』의 저자 조정래, 『포스코의 창업정신과 청암의 리더십』의 저자 최동주, 김규동, 차윤석 등 여러분에게는 특별히 감사를 드립니다.

박태준리더십을 정립하고 읽을 자료를 집필하는 과정에서 위 저자님들과 그 외 여러 저자님들의 글에 전적으로 의존하였으며, 폭넓게 참고 자료로 활용하였음을 분명히 밝힙니다.

사전에 일일이 양해를 구하지 못한 점을 정중하게 사과드리며, 지면을 통해 깊은 감사의 말씀을 올립니다.

다만 여러 저자님들께서도 박태준리더십을 우리 사회에 전파하는 일에 동참하여 주시고 우리들을 격려하여 주시리라는 소박한 바람을 가지게 됩니다. 깊은 뜻을 가지고 넓으신 마음으로 양해하여 주시기를 바라며 감사의 글로써 대신하고자 합니다.

감사합니다.

2020. 12. 1.

집필자

박보영 박노일 박행신 김남규 정기준

펴내는 글

우리나라가 경제대국으로서 선진국 대열에 들어선 원인 중에 포스코가 그 중심에 있었다는 사실을 어느 누구도 부인하지 않을 것이다. 그만큼 포스코가 우리나라 경제에 끼친 영향은 지대한 것이었다. 그 포스코를 세계적인 철강회사로서 우뚝 서게 한 이면에 박태준이라는 인물이 암반처럼 버티고 있었다는 사실 또한 어느 누구도 부인하지 않을 것이다. 이는 우리나라 경제발전에 탄탄한 기반을 다졌다는 사실도 중요하지만, 철강 산업은 물론 그 어떤 산업 기반조차 전무하던 시절 산업의 쌀인 철을 만드는 포항종합제철소를 세운 철강인이기에 그 업적은 더욱 빛을 발하고 있다.

박태준이 그처럼 무에서 유를 창조한 바탕은 무엇이었을까?

경제대국을 꿈꾸며 고심하던 중국의 등소평이 일본제철소를 방문하여 이나야마 사장에게 "우리에게 한국의 포항제철과 같은 제철소를 지어줄 수 있나요?"라고 물었다. 이나야마 사장은 "그것은 불가능합니다. 중국에는 박태준이 없기 때문입니다."라고 말했다는 일화가 있다.

작가 조정래는 후손들에게 들려줄 이야기로 박태준 위인전

(문학동네. 2007년)을 썼다. 보통 위인전은 돌아가신 분들 중에서 위대하고 삶과 업적이 인류사회에 귀감이 되어, 길이 남길 분들에 대해서 기록한다. 그런데 특이하게도 박태준은 살아있을 때 위인전이 쓰여졌다. 그만큼 우리나라의 큰 인물로 내세우기에 부족함이 없었다는 반증이 아니겠는가? 포스코의 위업을 달성한 박태준은 이 시대에 높이 평가되는 인물이다.

박태준리더십의 바탕은 "짧은 인생 영원한 조국에!"라는 좌우명에서부터 출발한다. 그 좌우명은 목숨을 걸고 포항종합제철을 건설해야 한다는 '제철보국'이라는 사명감을 가지게 하였다. 그것을 토대로 전 사원들에게 명확하고 긍정적인 비전을 제시하며 책임감과 원리원칙주의를 앞세우고, 스스로 단 1주의 주식도 갖지 않은 청빈정신으로 신뢰감을 형성하는 등 리더로서의 면모를 두루 갖춘 인물로 정리해 볼 수 있을 것이다.

이러한 인물이 우리 사회에 과연 몇 분이나 있을까?

박태준의 리더십을 연구하고 정리한 백기복은 "박태준은 탁월한 리더의 표준이라고 한 것은 다방면에서 탁월한 수준의 리더십을 보여줬다."라고 말하였다. 그러면서 "그가 왜 모든 것을 희생하면서 포스코를 성공시켜야 했는지, 무에서 유를 창조했다는데 그 원인은 무엇인지, 포스코 CEO를 25년이나 했는데 그는 왜 회사주식을 단 한 주도 가지고 있지 않은지 등의 무수한 질문에 대해서 명쾌하게 대답하는 사람은 거의 없다."라고 지적했다.

그는 또 "우리는 스스로 리더에 대한 평가에 인색하고 세계에 알릴 수 있는 리더십 연구체계를 갖고 있지 못하다. 리더십 학자들은 외국이론을 소개하느라고 바쁘고 조직 실무자들은 외국이름이 붙은 리더만을 우러러보며 배우려 한다. 케네디의 한마디는 충실히 기억하면서도 세종대왕이 무슨 말을 했는지 단 한 마디라도 기억하는 사람은 드물다."라고 말하였다.

박태준만큼 미래를 이끌어 갈 젊은이들에게 현실적으로 교훈이 될 만한 균형 잡힌 인물은 찾아보기 힘들다. 박태준이라는 한 개인에게서 리더십의 모범적 행동들이 다 나타나고 있나는 점은 높이 평가받을 만하다. 지금 이 시대뿐만 아니라면 훗날을 위해서 젊은이들에게 「박태준의 정신」을 심어줄 필요가 있다.

우리는 한때 포스코 교육재단(이사장 박태준)에 근무한 적이 있었다. 근무 당시부터 박태준 이사장의 삶과 정신을 만나게 되었다. 포스코라는 세계 제일의 철강회사를 성공적으로 만든 것은 박태준의 리더십이 작용했기에 가능했다는 것을 알게 되었다. 그런데 이 시점에 와서 보니 박태준의 삶과 리더십이 점점 잊혀져가고 있다는 사실을 피부로 느끼고 있었다. 그 점이 매우 안타까웠다.

그래서 5명의 포스코 교육재단 출신 교육자들이 모여서 2년 동안 박태준의 리더십 정립 작업을 하였다. 우리 사회에 박태준의 리더십을 널리 알려 횃불로 타오르게 불을 지피자는 열망 때문이었다.

요즈음 자라나는 청소년들에게 희망과 꿈을 갖게 할 모델로서 박태준의 리더십을 교육하는 것도 시대적으로나 국가적으로 커다란 의미가 있다고 판단하였다.

다른 한편에서는 분열되고 갈등의 폭이 커가는 우리 사회에 정신적인 리더로 우뚝 세울 인물에 목말라하고 있는데 박태준리더십을 전파하는 것이 매우 중요하다고 의견을 모았다.

포스코를 세계 제일의 철강회사로 만들기까지에 대하여 매스컴에 보도된 자료, 여러 가지 회의자료, 간담회자료, 지시되는 메모장, 창업부터 함께했던 창업멤버들이 들려주는 이야기, 지금까지 출판된 관련 서적 등을 분석 정리하였다. 그리고 관련 자료를 분석하여 리더십 덕목요소를 추출하였다. 이를 다시 몇 차례에 걸친 심의를 통하여 최종 8개로 박태준 리더십 덕목요소로 압축 정리하였다. 박태준의 삶과 리더십을 과연 8개의 덕목요소로 정립할 수 있을까. 이렇게 박태준 리더십을 정립하면서 그분에게 누가 되지 않았으면 한다. 부족한 점이 있다면 연구회 회원들의 능력 부족으로 돌려주기 바란다.

이 책의 특징은,

만다라트 기법을 적용하여 리더십을 정리하고 여기에 맞는 최적의 일화, 사례를 추출하여 읽을 자료를 만들었다. 각 리더십 덕목요소마다 정기준 박사의 리더십 이야기를 넣어 박태준 리더십을 정리하고 체계화하는 데 도움을 주도록 하였다.

그리고 이를 심화하기 위해서 각 리더십 덕목요소로 구성된 대단원이 끝날 때마다 대립토론을 적용할 수 있게 안건과 대립토론 방법을 제시하였다.

박태준리더십을 정리하여 이 시대를 살아가는 모든 사람들과 미래의 우리 사회를 이끌어갈 청소년들이 읽고 배울 수 있도록 내용을 구성하였기에 청소년뿐만 아니라 성인까지 읽고 익혔으면 하는 바람이다.

이 책이 출판되기까지 포스텍 박태준미래전략연구소 정기준 박사와 이우용 과장의 도움이 없었으면 불가능하였다. 깊은 감사를 드린다.

한편 박태준리더십이 이 사회에 끼치는 커다란 영향과 그 중요성을 동감하고 이 책을 발간해 주신 교육과학사 한정수 사장님께 지면을 통해 감사드린다.

2020. 12. 1.

지리산 자락에서

집필자 대표 박보영

| 차 례 |

축하의 글 6
감사의 글 9
펴내는 글 13

박태준리더십 내용 구성 23

I. 청렴 25

1. 단 한 주의 주식도… 30
2. 가택수색 사건 32
3. 이게 당신 돈이오? 34
4. 유일한 횡령 37
5. 통장이 하나도 없소? 39
6. 꿈에도 그리던 내 집 41
7. 브로커와의 전쟁 43
8. 부식의 영외 반출 46

정박사 리더십이야기: 청렴에 대하여 48

II. 원칙 51

1. 분노의 지휘봉 56
2. 바닷속 감사팀 58
3. 장군복장이 만든 원료 공급 계약 60
4. 빨간 톱밥이 고춧가루라고? 63
5. 새 신부에게도 전염된 원칙주의 65
6. 불량 볼트 68
7. 가장 아끼는 물건은 헬멧 70
8. 당장 폭파해! 72

정박사 리더십이야기: 원칙에 대하여 75

Ⅲ. 사명감 79

1. 포스코 재산 목록 1호 롬멜 하우스 84
2. 연봉 때문에 회사를 떠나? 86
3. 짧은 인생을 영원한 조국에! 88
4. 국가 미래전략연구소를 꿈꾸다 90
5. 300만 톤이 아니라 1,000만 톤 공장이오 93
6. 축구전용 구장 하나쯤은 있어야 95
7. 빈대약이 살려낸 대한중석 97
8. 과학 강국의 밑거름 방사광가속기 100

정박사 리더십이야기: 사명감에 대하여 103

Ⅳ. 비전 107

1. 노벨상은 언제쯤이나? 112
2. 정부가 대주주인 민간기업체 114
3. 제철보국 117
4. 국내 최초 민간 통근열차 119
5. 해외유학 장학회운영 122
6. 숲 속의 제철소 124
7. 광양제철소 건설 뒷이야기 127
8. 기회마저 잃어버린 중국 투자 130

정박사 리더십이야기: 비전에 대하여 133

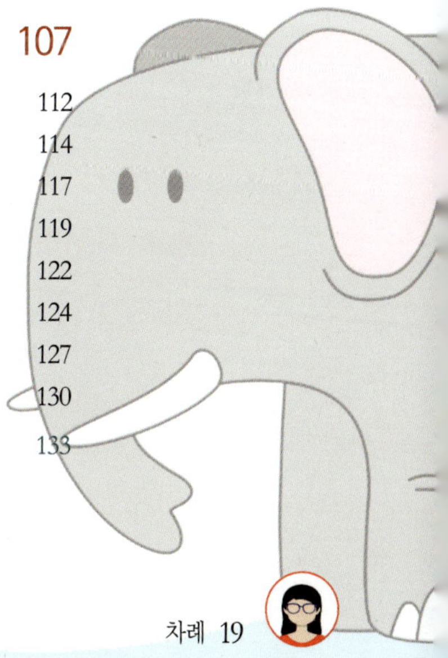

V. 주인의식 137

1. 청결 · 윤리 교육 교재 142
2. 우리 사주제 도입 144
3. 제2의 제철소를 우리의 손으로 147
4. 유령 노동자 149
5. 기술 우선의 직원연수 151
6. 쇳물보다 먼저 나온 사보 〈쇳물〉 154
7. 불량 와이셔츠 156
8. 자주관리제 159

정박사 리더십이야기: 주인의식에 대하여 162

VI. 동기부여 165

1. 사원주택 건설이 우선 170
2. 솔선수범이 만든 아찔한 사진 172
3. 꽃 피는 팔도강산 174
4. 최고의 유치원에서 최고의 대학까지 176
5. '쇳물'은 쏟았지만 179
6. 지금부터 비상태세 181
7. 내 몸이 깨끗해야 184
8. 최고의 교육으로 교육보국을… 186

정박사 리더십이야기: 동기부여에 대하여 189

VII. 책임감 193

1. 우향우 정신 198
2. 천년 가는 포항공대 200
3. 꼴찌부대를 1등부대로… 202
4. 모래 말뚝 공법 205
5. 단 1년 만에 흑자 낸 대한중석 207
6. 소통령보다는 중통령 209
7. 포스코 6개월 만에 이룬 기적 212
8. 포항제철의 울타리가 되자 214

정박사 리더십이야기: 책임감에 대하여 217

VIII. 신뢰 221

1. 대통령의 종이마패 226
2. 이병철 회장의 선물 228
3. 앨 고어의 아버지 230
4. 구두약으로 갚은 은혜 233
5. 박태준을 수입하지요 235
6. 18년 만에 내려간 묵은 체증 237
7. 김호길 박사 240
8. 거양해운 사라지다 242

정박사 리더십이야기: 신뢰에 대하여 245

※ 박태준의 일대기 248

※ 참고문헌 255

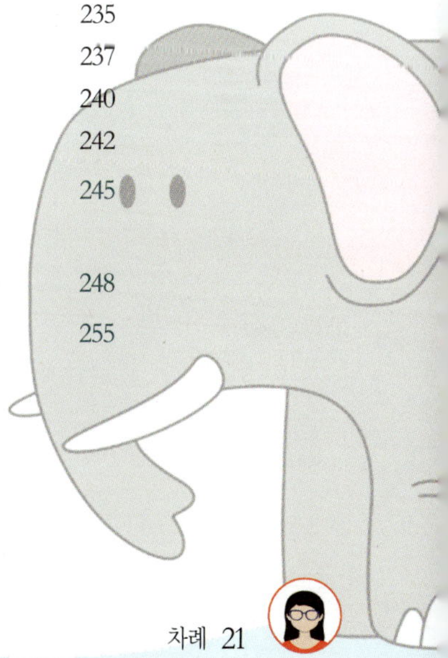

박태준리더십 내용 구성

1. 단 한 주의 주식도…	2. 가택 수색 사건	3. 이게 당신 돈이오?	1. 분노의 지휘봉	2. 바닷속 감사팀	3. 장군복장이 만든 원료 공급계약	1. 포스코 재산 목록 1호 롬멜하우스	2. 연봉 때문에 회사를 떠나?	3. 짧은 인생을 영원한 조국에!
8. 부식의 영외 반출	Ⅰ. 청렴	4. 유일한 횡령	8. 당장 폭파해!	Ⅱ. 원칙	4. 빨간 톱밥이 고춧가루라고?	8. 과학 강국의 밑거름 방사광 가속기	Ⅲ. 사명감	4. 국가 미래전략연구소를 꿈꾸다
7. 브로커와의 전쟁	6. 꿈에도 그리던 내 집	5. 통장이 하나도 없소?	7. 가장 아끼는 물건은 헬멧	6. 불량 볼트	5. 새 신부에게도 전염된 원칙주의	7. 빈대약이 살려낸 대한중석	6. 축구전용구장 하나쯤은 있어야	5. 300만 톤이 아니라 1,000만 톤 공장이오
1. 대통령의 종이마패	2. 이병철 회장의 선물	3. 앨 고어의 아버지	Ⅰ 청렴	Ⅱ 원칙	Ⅲ 사명감	1. 노벨상은 언제쯤이나?	2. 정부가 대주주인 민간기업체	3. 제철보국
8. 거양해운 사라지다	Ⅷ. 신뢰	4. 구두약으로 갚은 은혜	Ⅷ 신뢰	박태준 리더십	Ⅳ 비전	8. 기회마저 잃어버린 중국 투자	Ⅳ. 비전	4. 국내 최초 민간 통근열차
7. 김호길 박사	6. 18년 만에 내려간 묵은체증	5. 박태준을 수입하지요	Ⅶ 책임감	Ⅵ 동기부여	Ⅴ 주인의식	7. 광양제철소 건설 뒷이야기	6. 숲 속의 제철소	5. 해외 유학 장학회 운영
1. 우향우 정신	2. 천년 가는 포항공대	3. 꼴찌부대를 1등부대로…	1. 사원주택 건설이 우선	2. 솔선수범이 만든 아찔한 사진	3. 꽃 피는 팔도강산	1. 청결 · 윤리 교육 교재	2. 우리사주제 도입	3. 제2의 제철소를 우리의 손으로…
8. 포항제철의 울타리가 되자	Ⅶ. 책임감	4. 모래 말뚝 공법	8. 최고의 교육으로 교육보국을…	Ⅵ. 동기부여	4. 최고의 유치원에서 최고의 대학까지	8. 자주관리제	Ⅴ. 주인의식	4. 유령 노동자
7. 포스코 6개월 만에 이룬 기적	6. 소통령보다는 중통령	5. 단 1년 만에 흑자 낸 대한중석	7. 내 몸이 깨끗해야	6. 지금부터 비상태세	5. '쇳물'은 쏟았지만	7. 불량 와이셔츠	6. 쇳물보다 먼저 나온 사보 〈쇳물〉	5. 기술 우선의 직원 연수

"글로벌 인재들이 배워야 하는 박태준리더십" 내용은

포스코 임원 회의자료, 간담회자료, 필자 중 한 분인 포스텍 정기준 교수가 수

년 동안 진행한 수업에서 포스텍 학생들의 조직행동론 팀 프로젝트로 산출된 결과물, 참고문헌, 언론보도자료, 포스코 임원 인터뷰자료, 증언을 통한 사례 및 일화 자료 등 방대한 자료를 수집, 분석, 정리하여 박태준의 리더십 덕목요소 11가지로 집약 추출하였다. 이를 다시 심의하고, 정리하여 8가지 덕목요소로 "박태준리더십"을 정립하였다.

박태준의 리더십 8가지 덕목요소에 적합하고 감동적인 일화 및 사례를 수집하고 분류하여 가장 알맞은 자료를 선정하였다. 덕목요소(8개)마다 일화 및 사례를 각각 8개씩 총 64개를 엄격하게 선정하여 이를 읽을 자료로 집필하였다.

Ⅰ. 청렴

1. 단 한 주의 주식도…	2. 가택 수색 사건	3. 이게 당신 돈이오?
8. 부식의 영외 반출	**Ⅰ. 청렴**	4. 유일한 횡령
7. 브로커와의 전쟁	6. 꿈에도 그리던 내 집	5. 통장이 하나도 없소?

청렴(淸廉)정신을 강조한 정약용 선생은 목민심서(牧民心書)에서 "지도자의 자리에 오르는 사람은 재물을 마구 사용해서는 안 된다."고 하였습니다. 또한 우리나라 사회학자로 존경받는 송복 교수는 청렴정신을 '무사심(無私心)'이라고 했습니다. 이는 '사사로운 욕심, 내 개인을 위한 욕심을 갖지 않는 것'이라는 뜻입니다.

청렴한 사람 하면 우리는 조선 세종대왕 시절 황희 정승을 먼저 생각하게 됩니다.

어느 날 세종대왕께서 평복을 입고 백성들의 형편을 살피러 대궐을 나섰다가 황희 정승 생각이 났습니다.

"이왕 나온 터에 황희 정승 집에나 한번 가 보자. 앞장서거라."

신하들은 세종대왕을 황희 정승 집으로 모셨습니다.

"한 나라의 정승이라는 사람 집이 왜 이러하느냐? 초라한 단칸집에 담장도 없지 않느냐?"

세종대왕은 '겉은 초라해도 안은 좀 다르겠지' 하고 집안으로 들어갔습니다. 그런데 막상 안을 보니, 방바닥에는 멍석이 깔려 있었습니다. 있는 것이라고는 즐겨 보는 책뿐이고 가구 하나 없었습니다. 왕은 방 안을 보고 가슴이 뭉클해서 농담을 했습니다.

"등이 가려울 때 이 멍석에 대고 비비면 시원하겠구려."

또 맹사성이라는 정승은 집이 가난하고 소를 타고 다니는 정승으로 유명합니다. 벼슬에 있을 당시 관료들이 타고 다니는 가마를 타지 않고, 소를 타고 대금을 불면서 출근하였습니다. 맹사성은 조선 초의 문신으로 시와 문장에 뛰어났습니다. 음악을 좋아하고 마음이 어질고 너그러워, 농민들에게도 말벗이 되어주는 인자한 사람이었습니다.

어느 비 오는 날, 한 대감이 그의 집을 찾아왔습니다.

"어쩐 일로 오셨소? 어서 들어오시구려."

대감은 한 나라의 정승이 이렇게 초라하게 사는가 싶어 속으로 놀랐는데, 안으로 들어가서 더욱 놀라고 말았습니다.

여기저기 빗물 새는 소리가 요란하였고, 맹사성 정승 부부는 빗물이 떨어지는 곳에 그릇을 갖다 놓기에 허둥거리고 있었습니다. 대감은 그만 눈물이 핑 돌아 말을 제대로 잇지 못

할 지경이었습니다.

“대감께서 어찌 이렇게 비가 새는 초라한 집에서 살고 있단 말이요?”

“허허, 그런 말 마오. 이런 집조차 갖지 못한 백성이 얼마나 많은지 아시오? 그런 사람들 생각을 하면 나라의 벼슬아치로서 부끄럽소. 그들에 비하면 호강 아니겠소?”

예나 지금이나 높은 벼슬을 하는 사람들 중에는 그 벼슬을 이용하여 부정하게 뇌물을 받아 부를 축적하거나 국고를 축내는 사람이 많았습니다. 그래서 나라에서는 청렴한 사람을 청백리로 선정하여 격려하기도 하였습니다.

황희, 맹사성 정승의 인자한 성품과 청렴한 생활은 오늘날까지 모든 벼슬아치들의 모범으로 여기고 있습니다. 그런 청백리가 많으면 나라의 질서가 바르게 서고 깨끗한 사회가 되어 국민들은 편안하고 행복하게 잘 살게 됩니다.

교육위인

[박태준 리더십이야기 4] 부실공사 피해를 막는 방법
반복되는
부실공사
막을 수 없을까?
UNDER CONSTRUCTION
하루가 멀다하고 터지는 부실공사 ㅍ
막을 수 있는 방법 은 없을까?
POSTECH
박태준미래전략연구소

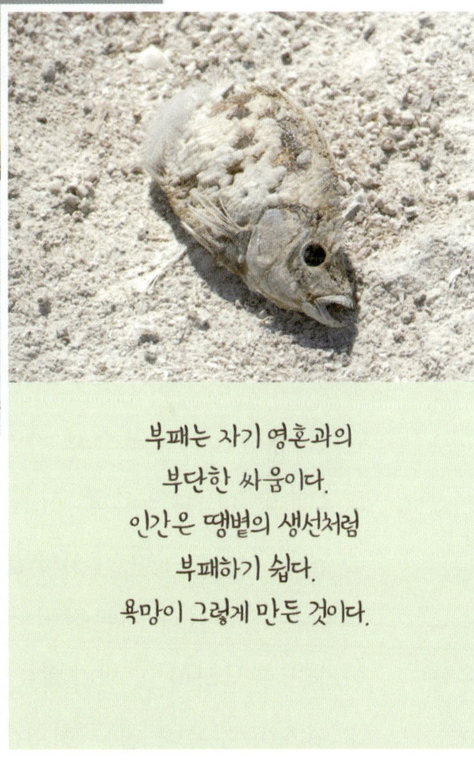
부패는 자기 영혼과의
부단한 싸움이다.
인간은 땡볕의 생선처럼
부패하기 쉽다.
욕망이 그렇게 만든 것이다.

1. 단 한 주의 주식도…

"박태준 회장님께서는 우리 회사 주식을 단 한 주도 챙기지 않으셨다는데 그게 사실이야?"

"글쎄, 그러셨다는군. 참으로 깨끗한 분이셔."

"그러다 보니 다른 임원들도 눈치만 보느라 제대로 챙기지 못하셨대."

"암튼, 청렴하신 분이라니까."

1988년 정부에서는 포스코를 '국민주 1호 기업'으로 선정한다고 발표했습니다. 정부에서 운영하는 공기업의 주식을 국민에게 나눠준다는 것이었습니다. 정부는 국민주를 공평하게 나누기 위해 그 대상을 저소득층으로 정하였습니다.

이에 수백만 명에 달하는 서민들이 포스코의 국민주를 사기 위해 모여들었습니다. 포스코는 안정적으로 수익을 많이 낼 수 있는 우량기업이었기 때문이었습니다. 청약을 통해 약 322만 명의 서민들이 포스코 국민주를 나눠 가졌습니다.

그해 6월 10일 포스코 사원 1만 9천 419명이 배당받은 주식은 발행주식 전체의 약 10%인 917만 8천 914주였습니다.

"나는 가족들과 기본적인 생활을 유지할 수 있을 정도의 돈이라면 충분하다고 생각해요. 포스코는 돈으로 셈할 수 없는 내 영혼이 깃들어 있는 회사예요. 나는 오직 국가와 민족에게

내 목숨을 다 바쳐 포스코를 창립하였을 뿐이에요. 목숨을 바친 내가 어찌 돈을 챙기는 일을 할 수 있다는 말이오."

박태준은 단 한 주의 공모주에도 손대지 않았습니다. 그렇게 선언하자 그 외 임원들도 함부로 나설 수가 없었습니다. 아니 박태준의 이 견고함 앞에서 임원들도 어찌하지 못했습니다.

"회장님, 단 한 주만이라도 회장님 몫으로 챙기십시오. 그 정도면 어느 누구도 회장님을 탓하지 않을 것입니다. 또 다른 임원들의 입장도 있지 않겠습니까?"

"그 말은 맞아요. 나와 함께 사막 같은 모래벌판 위에 종합제철을 세운 초창기 동지들에게는 대단히 미안한 일이오. 하지만 그들도 내 마음을 이해해 주리라 믿어요."

박태준은 평소에도 다음과 같이 굳은 신념을 이야기했습니다.

"나는 돈보다 국가가 더 소중하다는 생각이 마음속에 깊이 새겨져 있습니다. 그래서 사사로운 욕심에 휘둘리지 않을 수 있었습니다. 돈의 노예가 되어 남에게 피해를 주고 사회에 악영향을 끼치는 일은 절대 해서는 안 된다고 여겼습니다."

만일 박태준이 단 한 주, 아니 '개인이 1% 이상은 소유할 수 없다'는 규정을 준수하여 0.9%의 공로주를 받았다면, 그의 재산은 몇백억, 몇천억이 넘었을 것입니다.

박태준은 부자가 될 수 있는 기회가 참 많았습니다. 하지만 스스로 그런 길을 피해왔습니다. 그는 부정한 일을 멀리했을 뿐만 아니라 사사로운 욕심으로 재물을 탐하지도 않았습니다. 군인이었던 시절, 제법 높은 지위에 올라갔을 때도 그는 셋집에서 살았습니다. 일본으로 건너가 지낼 때에도 13평짜리 아파트에서 부인과 4년간 단출하게 생활했던 사람이었습니다.

2. 가택수색 사건

1974년 가을 어느 월요일 아침이었습니다.

"당신들 누구세요? 왜 남의 집을 허락도 없이 막 쳐들어오는 거예요?"

고등학교 2학년생인 박진아[2]가 동생들의 책가방을 챙겨 학교에 보내고 교복으로 갈아입으려는 순간, 갑자기 건장한 남자 두 사람이 들이닥쳤습니다.

"네 어머니가 밀수품을 사들였다는 소문이 있어 관세법 위반 혐의로 수색하러 왔다."

"그렇다면 수색 영장을 내놓으세요."

그들이 내민 서류에는 '박태준과 장옥자'란 이름이 또렷이 적혀 있었습니다. 어머니는 아버지를 뵈러 포항에 가시고, 집

---

2) 박진아: 박태준의 첫째 딸

에는 진아와 동생들만 있었습니다.

그들은 진아가 지켜보는 앞에서 집안 구석구석을 샅샅이 뒤졌습니다. 아이들의 방도 빼놓지 않았으나 그들이 찾고자 하는 물건은 나오지 않았습니다. 그들은 안방의 장롱과 조그만 금고를 발견하였습니다.

"어이 학생. 여기 장롱 열쇠 어디 있나? 빨리 열쇠 내놓지 그래. 그렇지 않으면 장롱 문을 부술 수도 있어!"

"어디 한번 마음대로 해 보세요!"

박진아는 눈 하나 깜짝하지 않고 오히려 당당하게 말하였습니다. 박진아의 침착하고 당당한 행동에 그들도 어쩌지 못하고 장롱과 금고에 빨간딱지를 붙였습니다. 자기들의 허락 없이는 어느 누구도 함부로 장롱 문을 열 수 없다는 표식이었습니다.

어머니가 소식을 듣고 포항에서 오셨습니다. 그들이 다시 찾아와 열쇠를 넘겨받아 빨간딱지를 뜯고 장롱과 조그만 금고 문을 열었습니다.

"이게 뭐냐? 이게 전부야?"

자신들이 찾는 물건이 분명 그 안에 들어있을 것이라 큰 기대를 걸었던 그들은 곧장 실망감에 빠져버렸습니다. 장롱엔 이불과 옷이 전부고, 금고에는 집문서와 패물 몇 가지와 잦은 해외출장의 흔적으로 남은 푼돈 외화가 들어 있을 뿐이었습니다. 금고 속이 너무 초라해서 오히려 난처한 표정이었습니다. 그들은 빈손으로 돌아갈 수밖에 없었습니다.

그들이 박태준의 집을 찾아와 수사한 것은 박태준을 싫어했던 사람들이 박태준의 흠집을 잡아 망신을 주려는 수작이었습니다. 미운털 박힌 실력자를 혼내거나 망신시켜 제거할 수단으로 가택수색이란 방법을 자주 사용하곤 하였습니다. 장옥자 여사가 밀수를 했다는 것은 집안을 수색하기 위한 단지 핑계일 뿐이었습니다.

"털어서 먼지 나지 않은 사람 없어. 가서 뒤져 봐. 뭐든 외제품이 나올 거야."

박태준이 제철소 건립 문제로 수시로 해외를 드나들고 있었기에 집안 어딘가에 외제물건들이 다소 몇 개라도 있을 줄 알았습니다. 외제물건이 하나라도 보이기만 하면 밀수품이라고 억지로 걸고넘어지려고 했습니다. 그렇지만 박태준의 집에서는 단 하나의 외제물건이 나오지 않았습니다.

3. 이게 당신 돈이오?

"연대장님, 이거 넣어두십시오."

박태준이 1군단의 연대장 시절이었습니다. 재무담당관이 출장 가려는 박태준을 찾아와 출장비를 건네는 것이었습니다.

"이거 뭐요?"

"이번 출장에 쓰시라고 준비한 출장여비입니다."

"이게 당신 돈이오?"

"옛? 아, 제 돈은 아닙니다만…."

"당신이 뭐 하는 사람인데 공금을 함부로 쓰는 거요? 그러려면 군을 떠나시오!"

군대에서는 출장여비를 지급하지 않는데 재무담당관은 부정한 방법으로 여비를 만들어 박태준에게 지급하고자 했던 것입니다.

박태준이 말한 공금은 군대를 위해서 사용하도록 정해진 예산을 말합니다. 이를테면 박태준이 연대장으로 있는 부대의 살림살이에 사용되는 모든 예산이 공금이 되는 것입니다. 공금은 원래 써야 할 곳이 정해져 있습니다.

"공금은 사용할 곳이 미리 정해져 있기 때문에 연대장이라 해도 내 마음대로 사용할 수 없다는 것을 잘 알면서 그러는 거요?"

"죄송합니다. 연대장님께서 출장을 가시면 출장비를 드리는 것이 관례였습니다."

재무담당관은 어색한 자세로 그동안 관례처럼 해온 일이라고 얼버무리려고 했습니다.

"국방예산은 국민이 낸 세금입니다. 국민이 낸 세금을 연대장이라고 해서 마구 쓴다는 것은 도저히 있을 수 없는 일이지 않소?"

"그렇긴 합니다만…."

"알았으면 됐소. 다시는 이런 일이 없도록 하시오."

"예, 연대장님! 그럼 출장 잘 다녀오십시오."

"알겠소. 출장 다녀올 동안 부대에 아무 일 없도록 각자 업무에 충실하시오."

"예, 연대장님!"

재무담당관은 거수경례를 하고 황급히 자리를 피해 자신의 막사로 뛰어갔습니다. 자신의 행동이 부끄럽기 짝이 없었기 때문이었습니다. 그동안 많은 연대장들은 여비를 챙겨주면 두말없이 받아 넣었습니다. 어떤 상관은 직접 챙겨오도록 요구하기도 했습니다. 그때마다 재무담장관은 병사들에게 돌아가야 할 예산 중에서 일부를 돌려야 하는 일이 너무 힘들었습니다. 마치 남몰래 도둑질이나 하는 심정이었습니다. 그런데 박태준은 챙겨주는 여비를 받기는커녕 오히려 그런 일을 못하게 하였습니다. 재무담당관은 흐뭇했습니다. 자신이 잠시 부끄러운 일을 했지만, 정말로 군인다운 군인을 만났다는 기쁨으로 가슴이 뭉클하였습니다.

4. 유일한 횡령

부산에서 근무하게 된 박태준은 오랜만에 가까운 고향 집으로 부모님을 뵈러 갔습니다. 군복무로 타지를 떠돌아다니느라고 부모님을 자주 뵙지 못해 그의 마음은 늘 죄송스러웠습니다.

"절 받으십시오. 그동안 잘 계셨습니까?"

"나랏일이 바쁠 텐데, 여기까지 뭐 하러 왔노?"

묵직한 느낌의 대령 계급장을 두 어깨에 단 장남을 오랜만에 만나고서도 아버지는 남자답게 그저 무덤덤한 얼굴이었습니다.

"어디 아픈 데는 없나? 오랜만이구나."

"괜찮습니다. 자주 찾아뵙지 못해 죄송할 뿐입니다."

어머니에게 건강부터 먼저 물어보았습니다.

"아니, 어머니 손이 왜 그러세요?"

밥상을 갖다 놓고 허리를 펴는 어머니의 손, 그 손톱 밑이 갈라져 피부가 물리 있는 것을 박태준은 발견했던 것입니다.

"아니, 아무것도 아니야."

어머니는 손을 뒤로 감추며 웃었습니다.

"어디 봐요, 피가 맺혀 있는데."

"아니, 다친 것이 아니고, 농사일을 하다 보니 손톱 밑이 갈라지고, 자주 바다에 나가 물질도 하니 잘 아물지를 않아서 그래. 이런 데는 군대에서 쓰는 반창고를 감아두면 잘 낫는다고 누가 하더구만서도…."

어머니의 뒷말은 혼자 하는 말 같아서 낮고 가늘었습니다. 그 순간 부인 장옥자는 남편이 그 말을 못 알아들었을 것 같았습니다. 남편에게 한마디 하고 싶었습니다.

'이런 데는 군대 반창고를 감아두면 잘 낫는대요. 제발 반창고 꼭 구해 가지고 오세요.'

하지만 박태준의 성격을 잘 아는지라, 부인 장옥자는 아무 말도 할 수 없었습니다.

그런데 뜻밖의 이변이 생겼습니다.

"어머니, 손 이리 줘 보세요!"

바로 그다음 날 박태준은 '군대 반창고'를 험한 농사일로 거칠고 투박해진 어머니의 손가락에 정성스럽게 감아드렸습니다.

그 광경을 바라보면서 부인 장옥자는 '정말 소문대로 굉장한 효자로구나' 하고 감탄하는 한편 '내가 잘 모셔야 되겠구나.' 하고 정신을 가다듬었습니다. 그 반창고 하나가 남편이 군대 생활 하는 동안에 군용품을 사사롭게 쓴 처음이자 마지막 물건이었습니다. 박태준의 유일한 횡령 사건으로 회고록에 기록되어 있습니다.

5. 통장이 하나도 없소?

1993년 3월 10일 도쿄 하네다 공항에는 한 노인이 박태준을 기다리고 있었습니다.

"어서 오시오. 오랜만이외다!"

그는 세지마 류조였습니다. 그는 일본육군사관학교를 나와 전쟁 후 일본의 최고 경영인 반열에 올랐던 사람이었습니다.

"이리 몸소 나오시다니, 몸 둘 바를 모르겠습니다."

박태준은 세지마의 손을 잡고 정중하게 인사말을 하였습니다.

"자, 우선 병원으로 갑시다. 몸이 건강해야 무슨 일이든 할 수 있을 게 아니오."

세지마가 안내한 곳은 도쿄여자대학 부속 아이오야마 병원이었습니다.

"이번 여행은 언제 끝날지 모르는 일이 아니오? 나처럼 10년을 끌지 않겠지요. 한국 대통령은 임기가 5년이라니까 최소한 5년은 간다고 생각해야겠지요. 이 기회에 건강도 단단히 체크해 보시구려. 지금 가는 병원에는 나의 주치의가 있는데 그 친구한테 다 말해 놨어요. 일본 정부에 있는 친구들의 배려라고 생각하세요."

"뭐라고 말씀드려야 할지. 그저 감사할 뿐입니다."

"너무 어려워 마시오. 친구 좋다는 말도 있잖소. 우린 그래도 가까운 친구잖소."

세지마는 박태준의 손을 잡고 다독거리며 위로해 주었습니다.

박태준은 보복 정치 회오리에 휩쓸려 우리나라를 떠나야 했습니다. 그동안 세계 각국에서는 박태준의 업적을 기려 11개의 훈장, 6개의 명예박사학위, 2개의 큰 상을 수여했습니다. 1분기, 즉 3개월마다 1조 원씩 순이익을 낼 수 있도록 완전하게 기틀이 잡힌 국영기업 포항종합제철을 좌우하는 모든 권한은 새 집권자에게 고스란히 넘어갔습니다.

박태준이 입원한 날로부터 아오야마 병원에는 일본 정계 · 재계 거물들의 발길이 끊이지 않았습니다. 다케시다, 나카소네, 와타나베, 우스마 등 일본 정치계 유명 인사들이 박태준을 찾아왔습니다.

이틀 만에 일본 수상 다케시다가 찾아와 고개부터 갸웃거렸습니다.

"아무리 봐도 당신은 참 어리석은 사람이오."

"그렇지요. 고개를 못 숙여 망명자 신세로 전락했으니 어리석은 사람이지요."

"그런 게 아니오. 정치를 한다는 사람이 그렇게 숱하게 일본을 드나들고 우리 기업과 그렇게 많은 거래를 했는데 어떻게 일본에 예금통장 하나 마련해 두지 않았단 말이오? 하나라도 이런 날을 대비해뒀어야지요. 우리 경시청과 내각관내 정보실에서 샅샅이 조사해봤는데 하나도 없다는 겁니다. 그래서 어리석다는 거지요."

다케시다가 껄껄 웃었습니다.

"나같이 어리석은 자도 있어야 나라의 꼴이 좀 잡힐 게 아닙니까?"

"암튼 당신은 대단한 사람이오. 그 청렴과 결백성을 누가 따라잡겠소."

다케시마가 미소를 머금었습니다.

6. 꿈에도 그리던 내 집

1964년 설날, 박태준은 청와대로 초청을 받았습니다.

"자네, 다른 생각 아무것도 하지 말고 대통령 특사로 일본에 가 줘야겠어."

"무슨 일이신지요?"

박태준은 갑작스럽게 일본 특사로 가라는 말에 자세를 고쳐 앉으며 물었습니다.

"지금 우리의 가장 중대한 국사가 경제개발 5개년 계획이란 걸 알지?"

"예, 잘 알고 있습니다."

"헌데 현재 한국의 신용도로는 외국 은행들한테서 차관 얻기가 거의 불가능하다는 것도 알고 있지?"

"예 잘 알다 뿐이겠습니까?"

"그래서 하는 말이야. 일본과 대화가 통할 사람은 당신뿐이란 말야."

일본에 가서 한 · 일 국교 정상화가 순탄하게 풀려갈 수 있게 정치작업을 하라는 것이었습니다.

"자, 이것 받게나."

대통령은 봉투 하나를 내밀었습니다.

"이거, 무슨?"

박태준은 받기를 주저했습니다.

"별거 아니야. 자네는 여태 집도 없더군. 그렇게도 결백하게 살았으니 당연한 일이지. 그동안 고생만 잔뜩 시키고 내가 너무 무심했어. 애들 엄마한테 미안하구먼. 집이나 장만하게."

박태준은 마지못해 그 돈을 받아 들고 집으로 돌아왔습니다.

"여보, 이거 웬일이래요? 당신이 이런 걸 받아오다니?"

부인은 깜짝 놀랐습니다. 출장비조차도 거절했던 사람인지라 너무 뜻밖의 일이라서 믿을 수가 없었습니다.

"당신이 알아서 집 하나 마련해 보시구려."

부인 장옥자는 전세 뺀 돈을 합해 북아현동에 꿈에도 그리던 집을 마련했습니다. 별 둘을 단 장군이 될 때까지 열다섯 번의 셋방살이만 전전해오다가 비로소 얻은 안정이었습니다.

"며칠 동안 일본을 다녀오리다. 새집에서 애들과 잘 지내고 있으시오."

"네, 염려 마시고 일이나 잘 마무리하고 오세요. 건강 조심하구요."

박태준은 새집으로 이사를 해 놓고 일본으로 떠났습니다. 37살에 대통령 특사였습니다.

이렇게 마련한 북아현동의 작은 집에서 40년 동안 살았습니다. 2000년 국무총리직을 물러날 때 모든 재산을 정리하여 기부하였습니다. 이때 북아현동의 작은 집도 정리하여 박원순의 '아름다운재단'에 기부하였습니다.

7. 브로커와의 전쟁

"그를 내치지 않으면 언젠가는 포항제철도 그 손에 놀아나고 말 거야."

박태준은 어떻게 해서든지 국제적 로비스트인 아이젠버그가 포항제철의 일에 끼어들지 못하게 하였습니다. 1961년 11월 독일로부터 3천 750만 달러 상당의 마르크화 차관 도입을 성공시켰는데, 물밑 교섭을 맡은 이가 아이젠버그였습니다. 당시 소개료를 너무 많이 챙겨 먹은 사람이었습니다.

"우리 공장 울타리와 가까운 자리에 조일제철이라는 중후판 공장이 생긴다는군."

조일제철은 아이젠버그가 회사를 앞장세워 포항제철의 건설 자금을 빼먹으려고 만든 유령회사였습니다. 차관 알선은 아이젠버그가 맡았고, 한국 정부는 지불보증을 섰습니다. 아이젠버그가 소개한 파트너는 파나마 유나이티드 개발회사였습니다.

"그 회사의 실제 소유자는 바로 아이젠버그라는군."

그는 조일제철과 포항제철의 건설자금에서 이중으로 이권을 뜯어먹으려는 속셈이었습니다. 가난한 나라의 약점을 파고든 아이젠버그의 술책에 넘어가 한국 정부가 지불보증을 섰으니 포항제철이 흡수(합병)하는 수밖에 없었습니다.

1972년 7월 중후판 공장 준공식을 앞둔 어느 날입니다. 느닷없이 아이젠버그가 박태준에게 전화를 걸어왔습니다.

"여보세요, 박 사장! 왜 나에게는 여태껏 준공식 초청장을 보내지 않는 거요?"

박태준은 바쁘다는 핑계로 더 이상 말하지 않았습니다. 그는 끝내 아이젠버그에게 초청장을 보내지 않았습니다.

1970년 4월 1일은 포항제철소 착공식이었습니다. 그 사이에 포항제철은 일본 철강설비업체들과 구매계약을 진행했습니다. 아이젠버그는 몸이 달았습니다. 그의 눈에는 박태준보다 먼저 손봐야 할 장애물이 있었습니다. 일본 기술단의 아리가 단장이었습니다.

"어떻게든 아리가 단장을 쫓아내야겠는데."

아리가는 박태준의 종합제철에 대한 '진정한 의지'를 충분히 이해하고 존중하는 사람이었습니다. 제철설비에 대해 속속들이 잘 알고 있는 양심적인 엔지니어로서, 1억 달러가 넘는 포항제철 1기 설비구매에서 중요한 역할을 담당하고 있었습니다. 아이젠버그는 아리가 대신 자기 입맛에 맞는 인물을 심어두고 잇속을 챙기고자 또 술책을 꾸몄습니다.

"그런데 박태준이 문제란 말야!"

아이젠버그가 1970년 4월 일본에서 수상쩍게 움직인다는 소식이 박태준에게 들려왔습니다. 그는 곧바로 도쿄로 날아갔습니다. 합병을 거쳐 새로 태어난 '신일본제철'의 이나야마 회장을 찾아갔습니다.

"아리가 단장은 우리에게 절대로 필요한 사람이오. 회장님께서 선처해 주시지요."

박태준은 아리가 단장이 왜 꼭 있어야 하는지를 자세히 설명하였습니다. 이나야마 회장은 진지하게 경청했습니다. 그 결과 아리가에게는 아무런 탈도 일어나지 않았습니다. 여름이

와도 그는 영일만에 그대로 남아 있었습니다. 아이젠버그가 '조일제철'에 이어 박태준에게 두 번째로 거절당한 사건이었습니다.

8. 부식의 영외 반출

예전에는 10월 1일 국군의 날에 우리나라 육군, 해군, 공군, 해병대 등에서 뽑힌 군인들이 서울 시가지에서 기념 행진을 하였습니다.

"야, 정말 멋지구나. 어떻게 저렇게 발이 착착 맞지?"

많은 사람들이 텔레비전 앞에 앉아서 생중계하는 국군의 시가지 행진을 구경하였습니다. 박태준은 국군의 날 시가지 행진에 맨 앞에서 부대를 이끌었습니다. 누가 보아도 씩씩하고 당당한 행진이었습니다.

"얏호! 대성공이야! 대성공! 우리가 해냈어!"

행사 평가도 대호평이었습니다. 병사들이 환호성을 지르며 서로들 위로하고 격려하며 기뻐하였습니다. 병사들의 사기는 하늘을 찌를 듯하였습니다. 박태준은 결국 꼴찌 부대를 1등부대로 만들고 말았습니다.

연대가 축제 분위기로 생기 넘치는 어느 날 박태준은 저녁 밥상을 받자마자 안색이 싹 바뀌더니 밖에 있는 운전병을 불렸습니다.

"아니, 왜요? 밥상을 앞에 두고 갑자기 무슨 일이에요?"

부인은 영문을 모른 채 운전병을 부르는 남편의 얼굴만 바라보고 있었습니다. 부관과 운전병이 급히 들어왔습니다.

"이거 어떻게 된 일이야? 누가 이런 짓을 하라 했어?"

"절대로 이걸 갖다 드린 적이 없습니다."

부관이 밥상을 내려다보며 말했습니다. 그제야 부인은 무슨 일인지 알아차렸습니다.

"이 가자미 말인가요? 시장에서 제가 사 온 거예요."

"정말 당신이 사 왔단 말이오?"

"네에, 제가 사왔어요. 그런데 왜 그러시는 거예요?"

"오늘 부대에서 부식으로 이게 나와서 혹시나 했었소."

"아이고, 염려 마시구려. 갖다 줘도 나도 안 받는다구요."

그제서야 박태준은 미안한 듯 수저를 들고 밥을 먹기 시작하였습니다.

박태준은 부대의 부식으로 나오는 것이나 과일, 음료수 등 부대에서 보급하는 물품을 집으로 가져오는 일을 절대로 용납하지 않았습니다. 자신뿐만 아니라 부대 밖에 거주하는 장교나 하사관들도 박태준을 따라 철저히 지켰습니다.

부식으로 육류나 생선이 나오는 날에는 아예 가방을 들고 다니지도 않았습니다. 그 당시 어느 부대에는 장교나 하사관들이 쌀을 갖다 먹는 것은 말할 것도 없고 부식을 빼돌리는 일도 있었습니다. 그래서 많은 사병들이 배고파 허덕거렸습니다. 심지어 돼지고깃국이 나오는 날에는 고기는 찾을 수 없었습니다. 기름만 둥둥 뜬 국을 내려다보며 '돼지가 장화 신고 지나갔다.'는 말을 곱씹게 만들었습니다.

이를 알아차린 박태준은 어떠한 일이 있어도 부대원들이 먹고 사용하는 물품을 개인이 사용하거나 빼돌리는 것을 막았습니다. 부대원들에게 잘 먹여 건강하게 하여 사기를 올려야겠다고 부식의 영외 반출 단속을 철저히 실천하였던 것입니다.

정박사 리더십이야기

청렴에 대하여

청렴은 '성품과 행실이 높고 맑으며 탐욕이 없음'을 의미합니다. 청렴의 반대는 부패입니다. 이는 정치, 사상, 의식이 타락한 것으로 금전적인 욕심 때문에 일어나는 것입니다. 청렴한 사회라고 하면 공정하고 부정부패가 없는 사회를 말하기도 합니다. 국가가 부정부패를 근절하지 못하고 청렴한 사회가 되지 못한다면 다른 나라로부터 신뢰도가 떨어지고 경쟁력도 낮아질 수밖에 없을 것입니다. 사람도 마찬가지입니다. 청렴한 사람이 되기 위해서는 다음 몇 가지를 반드시 지키고 실천해야 합니다. 첫 번째는 공정입니다. 나의 생각과 다른 사람이나 약한 사람을 차별하지 않고, 생각이나 의견이 무조건 한쪽으로 치우치지 않는 것을 말합니다. 두 번째는 본인의 몫을 다할 줄 아는 책임입니다. 세 번째는 함께 지키는 약속을 실천하고 욕심을 버릴 줄 아는 절제가 필요합니다. 네 번째는 진실을 위한 정직과 공공을 위한 배려가 필요합니다. 이것을 실천하는 사람이 청렴한 사람이 될 수 있다는 것입니다.

박태준은 청렴에 있어서 어떤 사람이었을까요? 회사 경영의 청렴에 대하여 박태준은 다음과 같이 강조했습니다.

"사장인 나는 감사원에서 당장 우리회사를 감사해도 지적을 받을 만한 일을 스스로 하거나, 회사 부하들에게 규정에 어긋난 지시를 한 일도 없다고 자부합니다. 돈을 쓰는 데 있어서 부당한 지시를 한 바도 없으며, 사람을 뽑을 때에도 부당한 지시를 한 적도 없습니다. 임원 여러분들께서 사람을 채용할 적에 누구를 채용하라든지, 판매할 적에 누구에게 판매해 달라든지, 구매를 할 적에 어떤 사람의 물건을 사 달라든지 하는 쓸데없는 간섭을 하게 된다면, 이는 회사의 올바른 경영에 대한 전통을 흐리게 하고 회사를 위기에 빠뜨리는 큰 요인이 될 가능성이 있으므로 전 직원들은 반드시 내가 강조하는 청렴한 경영에 반드시 동참해 주시기 바랍니다."

학생 여러분들이 성장해 가면서 많은 장애를 만나게 될 것이며 그리고 다른 사람들과의 경쟁 상황에도 놓일 것입니다. 이러한 것을 뛰어넘고 경쟁에서 이기기 위해서는 두 가지의 방법이 있을 수 있는데, 하나는 상대를 누르고 올라서는 방법이 있고, 다른 하나는 인격 면에서 자신을 스스로 강하게 만드는 것입니다. 상대를 누르는 방법은 쉽고, 나의 인격을 강하게 만드는 방법은 어렵기 때문에 대부분의 사람들은 상대를 누르고 자신이 올라서는 방법을 더 많이 선택합니다. 그러나 상대를 누르려고 하는 것은 나 역시 쉽게 상대방과의 경쟁에서 질 수 있는 상황이 발생할 수 있다는 것을 명심해야 합니다.

나 자신이 경쟁에서 이기고 다른 사람들로부터 존경받는 가장 좋은 방법 중 하나는 자신의 인격을 높이고 가꾸는 것입니다. 학교생활에서 자신이 다른 사람들로부터 올바르고 청렴한 사람으로 인정받는다면 스스로 당당할 것이고, 이 당당함은 강력한 리더십을 발휘할 수 있는 힘이 된다는 것을 잊지 마시기 바랍니다.

Ⅱ. 원칙

1. 분노의 지휘봉	2. 바닷속 감사팀	3. 장군복장이 만든 원료 공급계약
8. 당장 폭파해!	**II. 원칙**	4. 빨간 톱밥이 고춧가루라고?
7. 가장 아끼는 물건은 헬멧	6. 불량 볼트	5. 새 신부에게도 전염된 원칙주의

"이번에 우리 반 반장은 누구를 뽑을까?"

"작년에 같은 반이었던 슬민이를 뽑지 뭐."

"애 좀 봐! 반장을 그런 식으로 뽑으면 되니?"

"그거야 내 맘이지. 반장은 내 맘대로 뽑으면 되지, 뭐."

우리 반 반장을 뽑을 때 우리 반을 위하여 가장 일을 잘할 사람을 뽑아야 합니다. 그런데 나와 친하다거나 잘생겼다고 뽑아주는 경우가 있습니다. 이런 사람은 반장을 선출하는 원칙을 잘 모르거나 어겼다고 볼 수 있습니다. 원칙이란 많은 사람들이 그렇게 인정하고 따르는 것을 말합니다. 원칙을 지키지 않고 반장을 뽑았다고 해서 규제를 받거나 처벌받지 않습니다.

"그건 반장을 뽑는 원칙에 위배되는 거야?"

반장을 뽑을 때의 원칙은 우리 반을 위해서 정성과 열성을 갖고 있으며, 우리 반을 위해서 희생할 수 있는 자격을 가진 사람을 선택해야 한다는 것입니다. 그렇지 않은 사람을 뽑으면 우리 반 일들이 원만하게 해결되지 않을 수도 있다는 것입니다.

원칙이 잘 지켜지지 않으면 때론 큰 피해를 입기도 합니다. 그 대표적인 사례가 삼풍백화점 붕괴 사건과 같은 것들입니다.

삼풍백화점 붕괴 사건은 1995년 6월 29일 서울 서초동에 있던 삼풍백화점이 붕괴하여 1,445명의 종업원과 고객들이 다치거나 재산상 큰 피해를 입었습니다. 1987년 '삼풍랜드'라는 명칭으로 서초동 삼풍아파트 대단지의 종합상가로 설계되어 있었습니다. 계획 당시의 건물은 지하 4층에서 지상 4층이었습니다. 그러나 거의 다 지어졌을 무렵, 삼풍건설산업㈜의 회장이 백화점으로 변경해 짓게 하였습니다. 많은 논란이 있었지만, 관계 공무원들을 돈으로 매수하고 전문가의 건의를 무시하고 강행하였습니다. 또 백화점용 넓은 공간을 확보하기 위하여 원래보다 기둥의 개수를 줄였고, 철근도 규정보다 가늘고 적게 넣는 등 설계 규정을 어기거나 원칙을 지키지 않았습니다. 그 결과 백화점이 마침내 무너지고 말았습니다.

우리는 원칙과 비슷한 개념으로 규칙이나 규정을 이야기하기도 합니다.

"수업 시간에는 다른 사람에게 방해가 되지 않도록 조용히 해야 한다!"

이와 같은 경우가 규칙이나 규정입니다. 수업 시간에 다른 사람에게 방해가 된다면, 당연히 선생님께서 규제하실 것입니다. 규칙을 어기면 책임을 져야 합니다. 곧 규칙은 꼭 지켜야 하는 그 무엇입니다.

우리는 많은 사람들과 어울려 살아야 합니다. 함께 어울려 사는 것은 서로에게 좋을 수도 있지만, 피해를 줄 수도 있습니다. 그런 피해를 줄이고 서로 행복하게 살아가기 위하여 원칙이나 규칙을 정하기도 합니다. 원칙과 규칙은 함께 더불어 살아가는 공동체에서 꼭 필요한 것이며, 누구나 공감하고 지켜야 할 것들입니다.

특히 리더가 되기 위해서는 이러한 원칙을 누구보다도 더 잘 지켜야 합니다. 그래야만 구성원들로부터 신임을 얻을 수 있습니다.

광양제철유치원 방문(89. 6. 15.)

▲ 초기 부지공사

▲ 볼트 조이는 모습

▼ 부실공사 폭파

1. 분노의 지휘봉

1972년 봄날의 한낮.

제강공장 기초공사장에서 강철 파일 박기가 한창이었습니다. 파일 박기는 지하 20~50미터 암반까지 파일을 하나씩 두들겨 박는 작업입니다. 박태준은 높은 구조물 위에서 이상한 점을 발견하고 내려와 불도저를 불러왔습니다.

"밀어 봐요!"

불도저가 비스듬히 기운 파일을 건드리자 맥없이 쓰러졌습니다.

"그 옆의 것도 밀어 봐요!" 역시 맥없이 넘어졌습니다. 박태준은 버럭 화를 내며 소리쳤습니다.

"여기 책임자 어딨소!"

책임자는 일본 설비회사의 하청을 받은 한국 건설회사 소장이었습니다. 소장은 무슨 일인가 하고 급히 달려왔습니다. 박태준은 다짜고짜 지휘봉으로 그의 안전모를 힘껏 내리쳤습니다. 지휘봉이 단번에 두 동강 나고 말았습니다.

"당신, 저게 무엇으로 보여요? 저게 파일로 보여요? 저건 담배꽁초라고 담배꽁초!"

박태준의 꾸지람은 쩌렁쩌렁 울렸습니다. 곁에 있는 사람들까지 겁에 질렸습니다.

"당신은 민족 반역자요. 이 공장은 조상의 혈세로 짓는 공장이란 말이오. 부실공사는 곧 적대행위란 걸 모르나요! 왜 원칙을 지키지 않고 이렇게 대충 하려는 거요?"

비서가 준 두 번째 지휘봉이 부실공사 책임자의 안전모 위에서 또 부러졌습니다.

"만약에 천장의 전기로에서 쇳물이 엎질러지면 밑에서 일하는 동료는 어찌 되겠소? 타죽거나 치명적 화상을 입는단 말이오? 그건 살인행위요, 살인행위!"

마침내 책임자가 벌벌 떨면서 꿇어앉았습니다.

"여기, 일본 회사 책임자도 불러오시오!"

최종 책임자는 일본 설비회사의 현장감독이었습니다. 그가 하청회사의 공사 감독을 받도록 계약돼 있었습니다. 일본인 감독이 쭈볏대며 겁먹은 죄인처럼 다가왔습니다.

"여보시오! 당신 나라의 공사도 이런 식으로 원칙을 무시하고 대충 하는 거요?"

"아닙니다. 그럴 리가 있겠습니까?"

"그렇다면 우리가 지금 어떤 각오로 이 제철소를 짓고 있는지도 알 만한 사람이 이 지경이 되도록 놔뒀단 말이오?"

박태준의 세 번째 지휘봉이 일본인 감독의 안전모를 후려쳤습니다. 이번에도 그것은 단번에 부러졌고, 감독도 그 충격에 무너지듯 그대로 털썩 꿇어앉았습니다.

"정말 잘못했습니다. 제가 잠시 소홀했더니 이런 일이 벌어졌나 봅니다. 다시는 이런 일이 없도록 하겠습니다."

그는 큰 과오를 솔직히 인정하고 사죄하였습니다.

"지금까지 박은 파일을 하나하나 다시 점검하고, 앞으로는 원칙을 무시하는 일이 일어나지 않도록 명심들 하시오."

2. 바닷속 감사팀

영일만의 포항제철소는 황량한 모래밭 위에 세웠지만, 광양만의 광양제철소는 바다를 메운 인공 땅 위에 세워야 했습니다.

인공 땅을 마련하기 위해 바다를 가로질러 13.6km에 이르는 둑을 쌓는 공사를 먼저 해야 했습니다. 둑을 빙 둘러 쌓고 그 안의 바닷물이 빠지도록 다시 흙으로 메워야 했습니다. 공사는 파도를 막아줄 외벽, 모래가 빠져나가는 것을 방지하는 방지시설 등으로 구분해야 했습니다. 부분마다 쓰는 석재도 달랐습니다. 외벽에는 튼튼한 바위, 방지벽은 고운 자갈이 필요했습니다. 석재는 매립할 바다에 있는 섬들을 폭파해 마련했습니다. 이런 방식은 공사를 쉽게 하지만, 불량 석재가 섞여들 위험도 있었습니다.

1983년 여름 박태준은 감사팀을 광양으로 보냈습니다.

"둑 쌓는 공사는 설계부터 치밀하게 해야 하는 법이오. 광양으로 가서 둑 쌓는 공사를 한번 살펴보고 오시오."

공사가 잘못되면 밀물이나 홍수에 둑이 무너질 수 있고, 구멍이라도 생기면 어느 순간에 뻥 뚫려 바닷물이 안으로 밀려들 수 있기에 박태준은 한시도 마음을 놓을 수가 없었습니다. 특히 바다에 둑을 쌓는 공사는 쉽게 눈에 띄지 않아 원칙을 무시하고 대충 하면 어쩌나 걱정이 되기도 하였습니다.

1주일 뒤 열린 임원회의에서 감사 결과를 보고했습니다. 곳곳에 불량 석재가 있었으며, 공사에 어려움이 많다고 보고하였습니다.

"바닷속 시공 상태도 점검했나요?"

"바닷속까지는 미처 확인하지 못했습니다."

"둑이 무너지면 물속에서부터 터지지 물 밖에서 터지나요! 원리원칙을 지키지 않은 부실공사는 용서할 수가 없소. 다시 조사해 보고하시오."

바닷속까지 검사하라는 날벼락 같은 소리였습니다. 바닷속까지 점검하리라고는 미처 생각지 못하였습니다. 보이지 않는 곳이라 꼼꼼하게 살펴볼 수가 없었기에 엄두도 내지 못한 부분이었습니다.

하지만 박태준의 원리원칙주의를 잘 아는 직원들이라 감사팀은 다시 광양으로 내려갔습니다. 곧바로 닥친 어려운 문제가 잠수부들을 찾아 모으는 일이었습니다. 당시 광양은 전형적인 농어촌 지역인지라 잠수부와 같은 일을 하는 사람이 많지 않았습니다. 그래서 감사팀들 스스로 스쿠버 장비를 갖추고 잠수부 훈련을 받았습니다.

짧은 기간 동안 받은 훈련인지라 아직은 서툴고 어려웠습니다. 하지만 위험을 무릅쓰고 물 밖과 물속의 돌을 하나하나 점검해 나갔습니다. 규격미달에는 △, 불량석재에는 ×, 짜임새가 불량한 것은 ○, 이렇게 하얀 페인트로 눈에 띄게 하나하나 표시해 놓았습니다. 광양 현장 팀들은 감사팀이 표시해 놓은 것들을 하나하나 살펴가며 다시 보완했습니다. 감사 조치 결과를 박태준에게 보고하자 다음과 같이 지시하였습니다.

"'공사 불량 재시공지구'라는 간판을 100m 밖에서도 잘 보이도록 곳곳에 대문짝만하게 세워 놓으시오."

3. 장군복장이 만든 원료 공급 계약

철을 생산하기 위해서는 철광석과 코크스용 유연탄이 필요합니다. 우리나라에서는 이 자원이 빈약해서 수입에 의존할 수밖에 없었습니다. 그중에서도 주원료인 철광석과 코크스용 유연탄을 확보하는 것이 무엇보다 중요했습니다. 낮은 가격에 장기적인 원료 확보로 생산에 필요한 양을 제때 공급받을 수 있도록 공급처를 잡는 일은 제철소 경영에 사활이 걸려 있는 문제였습니다.

당시만 해도 국제사회는 우리나라를 거의 인정하지 않았습니다. 그래서 거래처를 찾는 일은 무척 어려운 일이었습니다.

포항제철과 거래하는 일본 무역회사가 박태준에게 일본 철강업체보다는 다소 높은 가격으로 대신 구매해주겠다는 제안을 해왔습니다. 그는 단호히 거절했습니다. 박태준의 원칙에는 그런 식의 거래는 있을 수 없는 일이었습니다. 포항제철의 장래가 걸린 중대한 문제를 남의 손에 의지할 수는 없었거니와 자존심도 지키고 싶었습니다.

"우리는 원칙대로 일을 해야 하오. 어떻게 하든 원료를 저렴하고 안정적으로 조달할 수 있도록 최선을 다하시오!"

포항제철의 구매 대표단은 세계 주요 원료 공급업체들을 직접 찾아 나섰습니다. 호주의 대표적 광산업체인 해머슬리, 마운트 뉴먼, 벨람비 등도 차례로 방문했습니다.

"포항제철이 제철소를 제대로 건설할지 누가 압니까? 설사 제철소를 완공한다 해도 세계 시장에 팔 수 있는 제품을 만들어낸다고 장담할 수 있습니까?"

"어떻게 당신들의 원료대금 지불능력을 믿겠습니까?"

그들은 여러 가지 이유를 대며 공급하기를 꺼려했습니다.

구매 대표단은 박태준에게 다음과 같이 보고하였습니다.

"사장님, 문전박대만 당했습니다. 협상할 여지가 전혀 없었습니다."

상황이 이렇게 되자 박태준은 자신이 직접 나서기로 결심했습니다. 그는 협상이 어려울 것이라 판단하고 가능한 한 상대방에게 믿음을 줄 수 있는 자료를 최대한 준비했습니다.

1971년 7월 하순, 박태준과 원료부장은 광산 소유주들을 만나 설명회를 가졌습니다. 하지만 그들은 여전히 어려운 점을 들어 거절하였습니다.

"원료 공급계약은 간단한 문제가 아닙니다. 광산을 개발하려면 철도, 채굴장비 등을 새로 설치해야 합니다. 막대한 광산개발비와 시간이 필요합니다. 그렇기 때문에 당신의 말만 믿고 거금을 투자했다가 문제가 생기면 우리는 엄청난 손해를 입게 됩니다."

그는 며칠 동안이나 설득했지만 광산주들은 귀도 기울이지 않았습니다. 박태준은 준비해 간 육군 소장 정복을 꺼내 입었습니다. 그는 영국 전통을 따르는 호주 사람들은 '장군을 무척 존경한다.'는 말을 들은 적이 있었습니다. 장군 정복 차림의 박태준이 나타나자 광산주들은 깜짝 놀랐습니다. 그들은 즉시 태도를 바꾸었습니다.

"포항제철은 대한민국 정부가 보장하는 기업입니다. 내가 요구하는 대로 응했는데 손해를 본다면 한국 정부가 배상을 책임지겠다는 각서를 써줄 수도 있습니다."

그러자 광산주들은 각서를 요구하지 않았으며, 일본과 동일한 조건으로 장기계약을 맺어주었습니다. 일을 쉽고 편하게 하자고 일본 무역회사의 제안을 받아들였다면 어떻게 되었을까요? 이렇듯 박태준의 원칙은 항상 훗날 더욱 빛을 보게 됩니다.

4. 빨간 톱밥이 고춧가루라고?

1958년 여름, 박태준은 25연대장으로서 바쁜 나날을 보내고 있었습니다. 그러던 어느 날 그는 사병 식당에서 뜻밖의 광경을 목격했습니다. 식당 뒤편에 있는 잔반통에 김치가 버려져 있었습니다. 그는 무언가 잘못되었다는 것을 일아채고, 시사하는 병사들에게 물었습니다.

"강 하사, 도대체 저 귀한 김치를 버리는 이유가 뭔가?"

"연대장님, 김치가 맵지 않습니다. 맛도 없고요, 소화도 잘 되지 않습니다."

그는 직감적으로 무슨 일이 있다는 것을 느끼고 고춧가루를 가져오게 하였습니다.

"이 가루에 물을 붓고 풀어봐."

손을 넣어 휘저으니 톱밥 같은 가루가 물 위로 떠올랐습니다.

"아니, 톱밥을 빨갛게 염색해서 고춧가루와 섞었잖아!"

그는 부식 조달 장교와 하사관에게 그간의 사정을 전해 듣고, 그리해서는 안 되겠다 싶어 군납업자를 교체하려고 상부에 건의하였습니다.

그런데 놀랍게도 사단본부는 이 사건을 보고받고도 태연했습니다. 오히려 두 통의 전화를 받았습니다. 한 통은 사단군수참모의 전화였고, 또 한 통은 사령관실에서 온 전화였습니다. 납품업체를 교체하지 말고 적당한 선에서 타협하는 것이 좋을 것 같다는 내용이었습니다. 그는 군부 내부의 뿌리 깊은 부정부패에 더욱 분노하였습니다.

그날 밤 가짜 고춧가루를 납품한 업자가 몰래 관사로 찾아왔습니다.

"연대장님, 한 번만 봐주십시오. 연대장님이 제 뒤를 봐주시면 저 또한 연대장님의 뒤를 봐 드릴 수 있고, 세상살이라는 게 다 그런 거 아닙니까?"

하면서 봉투를 내밀었습니다.

"이 더러운 돈 가지고 당장 나가!"

이튿날 여기저기 높은 데서 압력이 내려왔습니다. 모두 "조용히 덮고 각서를 받는 선에서 마무리하라"며 몰아세웠습니다.

그러나 박태준은 진짜 고춧가루를 구해올 새 업자부터 찾기 시작했습니다. 모든 정보를 종합한 결과 생전 본 적도 없었던 정두화란 인물로 낙점되었습니다. 즉시 부하 장교가 동대문으로 달려가 그를 데려왔습니다. 그는 어두운 밤길을 마다하고 몇 시간이나 서둘러 왔습니다. 그는 다른 부대에 납품하다가 500만 원의 상납을 요구한 것을 거절해서 얼마 전에 쫓겨난 처지였습니다.

"진짜를 구해 오시오. 거래도 정확하게 합시다."

악덕업자를 쫓아낸 지 3주 후에 새 업자가 트럭에 진짜 고춧가루를 싣고 부대에 들어왔습니다. 훈련을 받고 있던 병사들이 환호성을 지르며 기뻐했습니다.

이 사건을 계기로 박태준은 나라가 제대로 움직이려면 부정부패가 근절되고 원리원칙이 철저히 지켜져야 한다는 사실을 다시 한번 깨달았습니다.

5. 새 신부에게도 전염된 원칙주의

박태준은 1954년 12월 20일 이화여대를 졸업한 장옥자와 결혼식을 올렸습니다. 신혼살림을 갓 시작한 첫날, 신부 장옥자에게 박태준은 다음과 같이 말했습니다.

"지금부터 당번병이 시범 보이는 것을 잘 보고 배워두시오.

난 결혼했으니 더 이상 당번병을 써서는 아니 되오."

그것이 원리원칙주의자 박태준이 신부에게 첫 번째로 보여준 모습이었습니다. 다른 장교 같으면 신부 앞에서 자신의 신분을 과시하기 위하여 오히려 당번병을 더 늘리는 경우가 허다하였습니다.

신부는 신랑의 고귀한 뜻을 마음속에 깊이 새기며 자기도 그 원리원칙을 따르기로 결심하였습니다. 그리고 당번병의 시범 동작을 세심히 관찰하였습니다.

"사모님, 군복은 이렇게 다리미질하는 법입니다."

당번병은 능란한 솜씨로 군복에 칼날처럼 줄을 세우는 다리미질 시범을 보여주고, 혁대의 버클을 반짝반짝 윤나게 닦는 시범도 보여주었습니다. 또 군화에 파리가 앉으면 미끄러지도록 반짝거리게 닦는 시범도 보여주었습니다.

"이제 사모님도 하실 수 있으시겠지요?"

그 시범은 보름 만에 끝이 났습니다. 신부는 자신과의 약속을 지키려고 최선을 다하여 당번병의 역할을 수행하였습니다. 신랑이 만족할 때까지 야전잠바를 일곱 번이나 고치기도 하였습니다.

"당신 참 눈썰미가 대단한 사람이오. 그새 이렇게 잘 배우다니."

군복차림을 깨끗하고 깔끔하게 입는 것을 좋아하는 박태준도 신부의 봉사에 전혀 흠을 잡지 못하였습니다.

신부 장옥자는 원리원칙주의자 남편을 따라 살면서 첫째 딸을 잃고 둘째 딸 역시 위험한 상황에 처하는 경험을 겪자 계속해서 전방 생활을 하는 것이 두려워지기 시작했습니다. 여러 날 고민 끝에 남편에게 편지를 썼습니다. 전방의 겨울 추위는 매섭고 혹독하였습니다. 그런 추위에서 아이를 키우기가 무섭고 위험하니 당분간 떨어져 서울에서 사는 게 어떠냐고 간곡하게 부탁하였습니다. 십중팔구 거절당할 것이라 믿고 조마조마 기다리는데 답장이 왔습니다.

"당신 생각이 합리적인 것 같소. 그렇게 합시다."

답장은 짧았지만 뜻밖의 소식에 신부 장옥자는 남편의 편지를 가슴에 안고 눈물을 흘렸습니다. 그 짧은 편지 속에 감추어진 자식에 대한 염려와 가족 사랑을 깊이 느낄 수 있었기 때문이었습니다.

신부 장옥자는 지체 없이 서울 안암동에 전셋집을 얻어 대학생들을 상대로 하숙을 하기 시작하였습니다. 남편에게는 비밀로 하였습니다. 남편의 자존심을 상하게 할 수 있는 일이기에, 알면 절대 못하게 할 게 뻔하기 때문이었습니다.

그녀는 날마다 궂은일에 시달리면서도 힘 드는 줄 몰랐습니다. 자신도 남편처럼 원리원칙을 지키는 사람으로서 자리매김하는 마음이 더 뿌듯하였습니다.

6. 불량 볼트

1972년 6월 어느 날, 박태준은 기초공사에서 말썽을 일으켰던 제강공장 현장을 찾아갔습니다. 육중한 철 구조물을 대형 볼트로 연결하는 작업을 하고 있었습니다. 비지땀을 흘리며 작업하고 있는 인부들에게 강조하고 또 강조하며 말하였습니다.

"수고가 많소. 하지만 이 작업의 중요성은 잘 알고 있지요? 허술하기라도 하면 나중에 대형 사고를 일으킬 수 있으니 철저하게 작업하시오."

제강공장의 철 구조물들은 무게가 수백 톤씩 나갑니다. 이들이 운행될 때는 수많은 반복운동을 해야 합니다. 볼트가 잘못 연결되어 반복운동에 견디지 못한 철구조물이 무너져 내리면, 대형 사고를 일으키는 것은 불을 보듯 뻔한 일이었습니다. 그래서 대형볼트는 작업자의 눈으로 조임 상태를 확인할 수 있도록 되어 있습니다. 제대로 조여진 것은 말끔하고, 허술히 조여졌거나 오차가 생긴 것은 지저분하게 보입니다. 박태준은 가다가 걸음을 멈추었습니다. 철 구조물에 박힌 볼트가 지저분해 보였기 때문이었습니다. 자세히 살펴보니 한두 군데가 아니었습니다.

그는 시찰을 중단하고 사무실로 곧바로 돌아왔습니다.

"제강공장 간부들을 빨리 집합시키시오!"

그는 머리끝까지 화가 나 불호령을 내렸습니다. 간부들이 득달같이 모여들었습니다.

"방금 내가 제강공장을 돌아보면서 대형볼트 조임 상태를 살펴보았는데, 당신들 지금 일을 어떻게 하는 거요?"

사건의 내막을 잘 알지 못하는 간부들이 서로 눈치만 살피며 우물거렸습니다.

"지금 즉시 모든 볼트를 하나도 남김없이 일일이 확인하시오! 잘못 조인 볼트는 머리에 흰 분필로 표시하시오!"

박태준은 간부들을 현장으로 급히 쫓아 보냈습니다.

"서울사무소에 연락해서 시공회사의 책임자를 즉각 현장으로 내려오게 하시오!"

직원들은 박태준의 성격을 아는지라 서둘러 현장으로 뛰어가 볼트를 조사하기 시작하였습니다. 여기저기 살펴보니 정말 허술하게 조여졌거나 불량한 부분이 한 두 개가 아니었습니다.

전체 볼트는 무려 24만 개나 되었습니다. 그중에서 약 400개에 흰 분필이 칠해졌습니다. 그것들을 서둘러 교체하였습니다. 정말 아찔한 일이었습니다. 원칙을 지키지 않고 대충 넘겨버렸다면 나중에 어떤 일이 벌어졌을까요?

"사장님은 대단한 사람이야. 정말로 예리한 육감을 지닌 분이야.”

“그러게 말이야. 남의 눈엔 멀쩡해 보이는 것에서 문제점을 발견하는 비정상의 눈을 지닌 분이셔.”

직원들은 박태준의 현장 감각 능력에 혀를 내둘렀습니다.

그의 이런 특별한 감각이 부실공사를 사전에 추방하여 포항제철의 미래에 느닷없이 닥칠지도 모를 큰 참사를 막아낼 수 있는 예방의 원인이 되었습니다.

7. 가장 아끼는 물건은 헬멧

“내가 가장 아끼는 물건은 헬멧이라오.”

헬멧은 박태준의 상징과도 같았습니다. 그는 헬멧을 쓰면 마치 군인이 적과 싸우기 위하여 전쟁터에 나가는 긴장감을 유지할 수 있었습니다.

“공사 현장의 위험으로부터 몸을 보호할 수 있는 안전장치이기 때문이지.”

박태준은 외국 출장이 없을 때에는 거의 매일 포항에 머물면서 하루에 서너 시간쯤 눈을 붙이고 이른 아침부터 회사로 나갔습니다. 아침 건설 회의를 주재하고 틈만 나면 현장을 순시하며 모든 공장의 구석구석을 살펴보았습니다.

포항제철 건설과정에서 여러 번 공사기간 지연 상황에 직면

한 적이 있었습니다. 공사비는 치솟는데 목표로 삼았던 기한 내에 완공할 수 없는 상황이었습니다. 이때 그는 직접 현장을 뛰면서 24시간 공사 체제를 가동시켰습니다.

"내 헬멧 좀 챙겨주시구려."

현장을 찾은 박태준의 머리에는 어김없이 헬멧이 얹혀 있었습니다.

포스코에는 소위 '비상경영체제'라는 것이 있었습니다.

"또 비상경영체제라드구만! 에고, 또 파리 날리게 생겼구먼!"

'비상경영체제' 때에는 포항 시내 음식점과 술집이 막대한 피해를 입었습니다. 포항제철 직원들이 밤늦게 퇴근했다가 새벽에 출근하기 때문이었습니다. 밤샘을 하는 직원들도 많았습니다.

예컨대, 1971년 '열연공장건설비상' 때는 5개월 걸리는 공정을 2개월 만에 완료해 일본 기술자 우츠미 씨로부터 '기적'이라는 평가를 받기도 했습니다. 이때 박태준은 자신도 직접 작업복을 입고 지휘봉을 들었습니다. 비가 오면 판초우의를 입고 직원들과 함께 새우잠을 자면서 작업을 독려했습니다. 그의 일평생 가장 아끼는 물건인 헬멧을 쓴 것은 당연한 일이었습니다.

그는 부실공사, 대충대충, 무사안일, 안전 불감, 준비 부족

등을 심하게 질타했습니다. 그럴 때면 지휘봉이 몇 개씩 부러지곤 했습니다. 간부들이 쓰고 있는 헬멧을 때렸기 때문이었습니다. 모든 간부들도 박태준처럼 헬멧을 쓰고 다녀야 했습니다. 그렇지 않으면 머리가 터질 수도 있었으니까요.

1979년 7월 미국의 지미 카터 대통령이 한국을 방문하고 돌아간 후 어느 날 우리나라 대통령과 박태준이 만나 담소를 나누었습니다.

"나도 자네처럼 헬멧이나 좀 쓰고 다닐까?"

"저는 헬멧이 어울리지만 각하는 허름한 밀짚모자가 더 잘 어울리십니다."

"그래. 나는 시골 농부들이 좋아. 순박하지. 그 사람들하고 논둑에 쪼그려 앉아 막걸리를 마시면서 남은 세월을 보내고 싶은데…."

대통령은 말끝을 흐렸습니다.

8. 당장 폭파해!

1977년 한여름이었습니다. 그날은 아침부터 땡볕이 내리쬐었습니다. 점심 식사를 마친 뒤 오후 2시쯤이었습니다.

박태준은 발전 송풍설비공사 현장 앞에 차를 세웠습니다. 기초 콘크리트 구조물 공사가 80%쯤 진행돼 높이 80m의 굴뚝

이 올라가 있었습니다. 먼저 전기실 앞쪽을 꼼꼼히 살펴보니 볼트 조임 상태가 어쩐지 이상하게 보였습니다.

"저게 뭐예요?"

"볼트가 잘 안 맞아서 임시볼트를 채워둔 겁니다."

입사 3년 된 직원이 엉겁결에 솔직히 대답했습니다. 현장소장을 불러 공사장을 한 바퀴 돌았습니다. 그런데 거푸집을 뜯어낸 콘크리트가 매끄럽지 않았습니다.

"왜 저렇게 울퉁불퉁해요? 이런 정신으로 쇳물이 제대로 나올 것 같소?"

일본인 감독도 불러내 호통을 쳤습니다.

"당신들은 여기서 소풍하는 거요, 잠자는 거요!"

박태준이 부실공사 해결책을 따졌더니 문제된 부분을 재시공하겠다고 하였습니다.

"이렇게 허술한 공사로 기일에 맞추면 무슨 소용입니까? 당장 부실로 확인된 공사 현장을 모두 폭파하도록 하시오!"

"무엇이라고요?"

간부들이 놀라는 것도 무리는 아니었습니다. 이미 기초공사는 거의 다 진행된 상황이었기에 이것을 폭파하라는 것은 마치 다 지어놓은 집을 허물라는 소리였습니다.

"사장님, 저걸 폭파하면 손해가 막대합니다. 보완하도록 하시지요."

"손해요? 지금 당장은 손해 같지만, 나중에 더 큰 사고가 나면 어떻게 할 거요? 당신들이 감당할 수 있겠소?"

몇몇 간부들이 박태준을 말리고 나섰으나 박태준은 뜻을 거두지 않았습니다.

박태준은 공사 현장으로 나가 시공업체 사람들과 감독자들을 모두 불러 모았습니다. 이들이 지켜보는 가운데 다이너마이트를 설치하는 폭파방법까지 일러주었습니다.

"드릴로 군데군데 구멍을 뚫고 다이너마이트를 넣으시오. 그 위에 젖은 가마니를 덮고 폭파하시오! 부실공사는 폭파란 말이오, 폭파!"

"쾅!"

굉음이 터졌습니다. 80% 이상 진행되었던 공사가 폭음과 함께 전부 무너져 내렸습니다. 부실공사는 절대 허용할 수 없다는 박태준의 단호한 의지를 만천하에 알리는 순간이었습니다.

부실공사 발견 후 이미 상당히 진행된 공사 현장을 다이너마이트로 폭파시킨 사건! 이 폭파사건은 하버드대학, 스탠퍼드 대학, MIT 경영학 교재에도 모범적인 경영관리 사례로 소개된 바 있습니다. 그만큼 이 일화는 성공 기업의 사례 가운데 하나로 유명하다는 뜻이기도 합니다.

정박사 리더십이야기

원칙에 대하여

우리가 어떤 일을 할 때 원하는 결과를 얻기 위해서는 반드시 원칙을 지키는 것이 중요합니다. 원칙을 지키지 않고서는 원하는 결과를 제대로 얻어내기 어렵기 때문입니다. 예를 들어 건물을 지을 때 그 과정에서 반드시 건축공법에 따른 원칙을 지키면서 건물을 지어야지만이 안전한 건물이 될 수 있을 것이고, 병든 환자를 치료하기 위해서는 환자 상태에 맞는 치료와 처방이라는 원칙을 지켜야 하는 것입니다. 세상의 일은 사소한 일이라도 원칙 없이 이루어지는 일은 하나도 없습니다. 원칙 없이 무질서해 보이는 일이라도 그 일을 잘 분석해보면 반드시 원인과 결과라는 원리원칙에 의해 이루어지고 있습니다.

조선시대 최고의 부자는 경주의 최부자였습니다. 3대를 넘기기 어렵다는 부를 최부자는 12대, 300년 동안 누렸습니다. 부에 대한 확고한 원칙과 철학이 있었기에 가능한 일이었습니다. 최부자는 1만 석 이상의 부는 사회에 환원한다는 원칙을 가지고 이를 실천했습니다. 만약 최부자가 1만 석 이상의 부에 욕심을 냈다면 일시적으로는 가능했을지 모르나 그처럼 오래 유지할 수는 없었을 것입니다. 동학 농민 혁명이 일어났을 때 다른 부자들의 재산은 약탈의 대상이 되었으나 최부자의 재산만은 손대지 않았다고 합니다. 큰 부를 이룩한 사람이나 큰 기업을 성공적으로 일으킨 사람들은 자기만의 원칙을 세워놓고 철저하게 이를 실천한 공통점이 있습니다.

박태준 역시 포스코 경영에 있어서 원칙을 철저히 지키는 사람으로 유명하였다고 합니다. 앞에서 여러 사례를 통하여 알 수 있었지만, 재미있는 사례를 하나 소개하고자 합니다.

제철소 건설이 한창인 1972년에 전체 임원들에게 아래와 같은 지시를 내리면서 원칙의 중요성을 강조합니다.

"현장 본관 사무실 현관에 자갈돌을 박스에 가득 비치해 두었습니다. 전 간부들은 항상 주머니에 휴대하고 다니시기 바랍니다. 그 이유는 작업현장에서 안전모를 안 쓰고 있는 사람이 있다면 누구를 막론하고 머리를 향해서 던지시기 바랍니다. 건설현장에 있어서 가장 기본인 안전에 대하여 반드시 원칙을 지키는 마음이 없다면 어떤 것에 있어서도 원칙을 지키지 않을 수 있으므로 이런 식으로 해서라도 원칙을 꼭 지키도록 해야겠습니다."

나라가 가난했던 시기인 1970년대 초반, 건설현장에 안전모

(헬멧)와 안전화(신발)에 대한 의식은 거의 없었고 안전 물품도 제대로 보급되지 않았던 시절임을 감안한다면 박태준의 경영 철학은 분명 남달랐음을 알 수 있습니다.

박태준은 포스코 건설 당시 완벽한 회사가 되기 위해서는 원칙에 맞는 완벽한 건설이 반드시 필요하며 이러한 완벽한 건설을 위해서는 모든 구성원들이 원칙을 벗어나는 생각과 행동을 해서는 안 된다는 것을 강조하였으며 그 결과 지금의 포스코가 탄생하게 된 것입니다.

이렇듯 리더가 구성원의 신뢰를 얻는 가장 좋은 방법은 원칙을 준수하면서 항상 구성원들에게 정정당당하며 자신 있고 정직해야 하는 것입니다. 그렇게 된다면 구성원들의 충성심은 자연스럽게 생기고 조직의 발전을 위한 열정도 올라간다는 점을 기억하시기 바랍니다.

박태준리더십

Ⅲ. 사명감

1. 포스코 재산 목록 1호 롬멜 하우스	2. 연봉 때문에 회사를 떠나?	3. 짧은 인생을 영원한 조국에!
8. 과학 강국의 밑거름 방사광 가속기	**Ⅲ. 사명감**	4. 국가 미래전략연구소를 꿈꾸다
7. 빈대약이 살려낸 대한 중석	6. 축구전용구장 하나쯤은 있어야	5. 300만 톤이 아니라 1,000만 톤 공장이오

사명감이라 함은 주어진 임무를 잘 수행하고자 하는 마음이기에 순수한 마음에서 일어나는 것으로 마음의 뿌리와 깊이 관련되어 있는 것입니다. 자신이 더 높은 의미가 있는 일에 기여하기 위해 부름을 받았다고 스스로 인식하는 고차원적인 정신이자 일하는 태도라고 할 수 있습니다. 따라서 사명감을 가지고 일을 한다는 것은 단순히 돈을 벌거나 어떤 보상을 얻기 위한 수단으로 일을 하는 것과는 일에 임하는 마음이나 노력의 강도는 다를 수밖에 없습니다.

아프리카 수단의 슈바이처라고 불리는 이태석 신부 이야기를 영화로 만든 '울지 마, 톤즈'가 있습니다. 우리나라 이태석 신부가 수단으로 찾아가 병든 사람들을 치료해주고, 학생들을 교육시키는 일을 하다가 젊은 나이에 숨진 이야기를 영화로 만들었습니다.

이태석 신부는 훨씬 잘사는 우리나라를 떠나 낯설고 가난한 아프리카 수단을 찾아가 왜 그런 어려운 일을 하다가 끝내 돌아가시고 말았을까요?

"하느님을 섬기는 신부로서의 사명감 때문이었습니다. 힘들고 고통 받는 사람을 위하여 희생하는 것이 신부의 역할이라고 믿었기 때문이었습니다."

이처럼 사명감은 자기에게 주어진 임무를 잘 수행하려는 마음가짐을 뜻합니다.

이순신 장군은 억울하게 죄인으로 묶여 있다가도, 나라가 풍전등화처럼 위태로운 지경에 이르렀을 때, 가만히 앉아 있을 수가 없었습니다. 오직 나라를 구해야 한다는 사명감 하나로 온갖 굴욕을 참아가면서 12척의 배를 이끌고 적과 마주하였습니다. 영화 '명량해전'에서 이순신은 이렇게 외칩니다.

"전하, 저에게는 아직도 12척의 배가 남아 있습니다!"

누가 12척이라는 배로 감히 일본의 군함들을 대적하려 하겠습니까? 이순신 장군은 그만한 자신감이 있었습니다. 그 자신감은 사명감에서 나온 것입니다.

일본에게 나라를 빼앗긴 우리 조상들은 죽기를 각오하고 일본에 항거한 위국선열들이 많이 있습니다. 안창호, 안중근, 윤봉길, 유관순 등 일일이 열거할 수 없을 만큼 많습니다. 하나뿐인 소중한 자신의 생명을 희생하면서까지 싸운 이유는 나라와 민족을 살려내려는 오직 그 한 생각이었습니다. 우리는 이들을 사명감으로 살아간 사람들이라 합니다.

사명감은 이처럼 나라를 구한 위인들에게만 있는 것이 아닙니다.

"저 건물 안에 우리 아기가 있어요!"

엄마가 미친 듯이 불 속으로 뛰어들려고 했습니다. 그때 한 소방관이 엄마를 제치고 불 속으로 뛰어들었습니다. 소방관은 한참 만에 한 아이를 안고 비틀거리며 나왔습니다. 그는 아이를 엄마에게 안겨주고 그 자리에 푹 쓰러졌습니다. 급히 병원으로 옮겼지만 끝내 숨지고 말았습니다. 참으로 슬프고 안타까운 소식이었습니다.

소방관은 불을 열심히 끄는 일만 해도 됩니다. 불 속으로 뛰어들지 않았다고 해고하지 않습니다. 하지만 사명감은 다릅니다. 사명감이 있어야만 불 속으로 뛰어 들어가게 됩니다. 사명감은 자신의 안전보다는 위험에 처한 사람을 구해야 한다는 숭고한 정신입니다.

광철남 축구부 격려(2003. 10. 4.)

▲ 3,4세대 방사광가속기

▲ 4세대 방사광가속기 내부사진

▲ 포스코 재산 목록 1호 롬멜 하우스

1. 포스코 재산 목록 1호 롬멜 하우스

포스코 재산 목록 1호는 '롬멜 하우스'입니다. 정식 명칭은 '포항종합제철주식회사 포항사무소'이지만 롬멜 하우스란 별칭으로 더 유명합니다.

'포항종합제철주식회사 포항사무소'는 1968년 5월 20일 육완식 공사부장이 100만 원으로 지은 목조 슬레이트 가건물이었습니다. 60평짜리 하얀색의 2층짜리인데 1층엔 행정실 · 기술실 · 숙직실이 있고, 2층엔 포항사무소상실 · 회의실 · 상황실이 있었습니다. 제철소 부지를 조성하고 제1고로를 건설하기까지 산실이 된 곳입니다.

당시 박정희 대통령도 이곳에 들러 공사 현장을 살핀 적이 있었습니다. 그런데 모래바람이 심하게 불어오기 시작하였습니다.

"아이쿠, 모래바람이 또 시작하는군. 얼른 저 롬멜 하우스에라도 들어가시지요."

"롬멜 하우스라니? 롬멜은 제2차 세계대전 당시 독일군 장군 이름 아니요?"

"그렇습니다. 독일의 아프리카 군단을 이끌며 연전연승했던 '사막의 여우'라 불리는 전쟁 영웅 에르빈 롬멜 맞습니다."

"그런데 왜 여기가 롬멜 하우스란 말이요?"

"저기 보십시오. 황량한 모래밭에 우뚝 서 있는 건설 사무소가 롬멜 장군의 야전군 지휘소처럼 생기지 않았습니까?"

"그러고 보니 재미있는 이름이군요."

그렇게 해서 롬멜 하우스는 포항제철 초기 건설 직원들에게는 전설 같은 존재가 되었습니다.

제1고로 건설 초기 현장 직원들을 가장 괴롭힌 것은 모래바람이었습니다. 작업복과 신발 속으로 모래가 끼어들어 따가움을 견디기도 어려웠습니다. 바람이 불면 눈을 뜰 수도, 숨을 쉴 수도 없었습니다. 마치 아프리카 사막과도 같은 곳이었습니다. 그래서 롬멜 하우스라는 이름이 자연스럽게 입에 오르내리게 되었습니다.

'롬멜 하우스'는 낮에는 건설 지휘소로, 밤이면 직원들이 책상을 침대 삼아 모포 몇 장으로 새우잠을 청하는 숙소로 사용되었습니다. 제철소를 짓기 위한 철거와 터 고르기 작업에 나선 건설 요원들은 사막전에 투입된 롬멜의 병사와 다를 바 없었습니다.

"오른쪽을 보시면 바로 영일만입니다. '우향우 정신'의 무대가 바로 저기입니다."

"제철소 건설에 실패하면 모두 물에 빠져 죽어야 한다는?"

"네, 그렇습니다."

"제철입국의 전사가 되면 롬멜 장군이 훈장을 달아주러 오겠구먼!"

박정희 대통령은 현장 근로자들을 그와 같은 말로 격려하였습니다.

'롬멜 하우스'는 수차례 헐릴 위기에 처하기도 했습니다. 하지만 역사적 기념물로 보존해 주기를 바라는 초기 건설 인부들의 뜻을 살려 2003년 7월 포스코역사관에 복원해 전시하고 있습니다.

2. 연봉 때문에 회사를 떠나?

포항제철은 나날이 사업의 규모가 커지면서 많은 직원을 뽑아야 했습니다. 보통 일반 회사에는 직원을 뽑는 기준으로 해당 분야의 전문 기술이나 지식 등 능력 있는 사람을 우선으로 삼는 경우가 많았습니다. 하지만 박태준은 능력보다 인성을 더 중요하게 여겼습니다.

"나는 품성이 바르고 열정이 있으며, 사명감이 큰 직원이 필요해요. 포항제철은 국가의 미래를 짊어질 회사가 되어야 하기 때문이오."

아무리 능력이 뛰어나더라도 품성이 바르지 않다면 원칙을 무시하고 사명감이 약해 결국에는 회사에 손해를 끼칠 것이라 생각하였습니다. 포항제철 직원은 다른 어떤 회사보다 나라의 발전을 위해 자신을 헌신할 수 있는 뜨거운 열정을 지닌 사람이어야 했습니다.

다른 예로 아모레퍼시픽 창업자 서성환 모친 윤독정은 아들에게 다음과 같이 말하여 개성상인의 정신을 심어주었다고 합니다.

"기술은 훔쳐도 그 정신은 훔칠 수 없다."

박태준도 역시 비슷한 말을 했습니다. "기술은 가르치면 되지만 인성은 가르칠 수 없다"고 하였습니다.

다른 회사로 옮겨서 더 잘되는 사람이 있는가 하면, 오히려 실패하는 사람이 있습니다. 그 중심에는 그 사람 됨됨이, 곧 인성에 대한 평판이 큰 작용을 하기 때문입니다. 비록 다른 회사로 갔다고 할지라도 그 사람의 평판도 곧 그 회사로 따라가기 마련입니다. 미국의 전설적인 자동차 판매왕 조 지라드의 '250명의 법칙'에 따르면 한 사람이 최소 250명에게 평판을 퍼뜨릴 수 있다고 하였습니다.

어느 날 박태준은 한 간부로부터 기술이 뛰어나다고 소문난 직원이 다른 곳으로 옮긴다는 이야기를 들었습니다.

"옮기려는 이유가 무엇 때문인지 아시나요?"

"그쪽에서 월급을 더 많이 주기 때문이라고 합니다. 정말 아까운 친구입니다. 능력이 우수한 직원이었으니까요."

간부가 능력 있는 직원을 잃는 것을 계속 안타까워하자 박태준은 이렇게 위로하였습니다.

"능력도 중요하지만 인성이 바른 것이 더 중요합니다. 누구든지 기본적인 자질만 갖추고 있으면 교육과 훈련으로 얼마든지 능력을 계발할 수 있는 법입니다. 하지만 사명감을 가지는 것은 하루아침에 되는 일이 아니지요."

우리 회사에 단지 돈을 목적으로 들어온 사람이라면 아무리 기술이 우수하다고 하더라도 회사 전체를 위해서는 걱정할 일은 아니라고 하였습니다.

박태준은 비록 기술이 뛰어나더라도 자세가 올바르지 않다면 결코 아까워하지 않았습니다. 반대로 능력은 조금 부족하더라도 국가를 위해 일한다는 사명감이 투철한 사람이라면 어떻게 해서든지 그를 붙잡으려고 하였습니다.

3. 짧은 인생을 영원한 조국에!

"군인 정신은 내 인생에 큰 영향을 끼쳤지요. 이 군인 정신이 포항제철을 설립 운영하는 데 큰 영향을 미쳤다 해도 과언이 아닐 것입니다."

박태준은 '제철보국'이라는 기치를 내걸고 포항제철을 글로벌 기업으로 성장시킨 기업가이지만 그 이전에는 군인으로서도 국가를 위하여 많은 일을 하였습니다.

박태준은 원래 과학을 공부하는 것이 적성에 맞다고 생각했습니다. 6세 때 아버지를 따라 일본으로 건너가 살면서 일본 와세다대학교 기계공학과에 입학하였습니다. 하지만 해방을 맞이하여 졸업하지 못하고 고국으로 돌아왔습니다.

가족과 함께 귀국해서 무엇을 할 것인가를 생각했습니다. 해방을 맞이하였지만 우리나라는 매우 불행한 처지에 놓여 있었습니다. 미국과 소련의 힘에 의해 남북으로 나누어졌으며 곧 처절한 전쟁이 일어날 것만 같았습니다. 그는 부모님께 군인이 되겠다고 뜻을 밝혔습니다. 그때 나이 21살이었습니다.

"나라를 튼튼하게 세우기 위해서는 든든한 군인이 있어야 합니다. 그래서 저는 군인이 되고 싶습니다."

부모님께서는 다행히 박태준의 의견을 존중해주었습니다.

1948년 부산 국방경비대에 자원해 육군사관학교 전신인 남조선 경비 사관학교 6기 생도로 선발되었습니다. 이때 탄도학 교관이었던 박정희 대통령과의 인연이 처음 시작되기도 하였습니다.

박태준은 육군소위로 임관해 육군 제1여단 제1연대 소대장에 부임했습니다. 대위로 진급해 경기도 포천에서 중대장으로 복무 중에 6 · 25 전쟁이 일어났습니다. 그는 각종 전투에서 공을 세워 충무무공훈장, 화랑무공훈장 등을 받았습니다.

전쟁이 끝나고 박태준에게 지휘관이 될 기회가 왔습니다.

"나는 공부를 더 해야 했어요. 그래서 육군대학으로 진학하기로 하였지요."

1953년 박태준 중령은 제5기로 육군대학에 입학하였습니다. 그는 원했던 공부였기 때문에 누구보다도 열심히 하였습니다. 25주 공부 기간 동안 밤을 꼬박 새운 것이 한두 번이 아니었습니다. 그 결과 가장 우수한 성적을 거두어 수석으로 졸업하였습니다. 육군대학은 수석 졸업자에게 대통령상과 금시계를 수여하였습니다.

박태준은 감개무량하였습니다. 군인의 길을 걸어온 지 6년 동안 온갖 어려움을 넘고, 군인으로서 받을 수 있는 최고의 상까지 받았습니다. 그 길은 위험하고 험난했지만 조국을 지키는 영광의 길이었습니다.

"그래, 이제 나는 내 인생 모든 것을 국가에 바치자!"

'짧은 인생을 영원한 조국에!'라는 좌우명을 만들었습니다.

박태준은 금시계를 움켜쥐고 두 손에 힘을 주며 이 문구를 가슴 깊이 새겨 넣었습니다.

4. 국가 미래전략연구소를 꿈꾸다

박태준의 삶의 목표이자 목적은 오직 '짧은 인생을 영원한 조국에!' 두었다고 해도 과언이 아닐 것입니다. 그의 일생은 나라 사랑의 사명의식으로 제철보국 · 교육보국 같은 사상을 낳았고 투철하게 실천하였습니다. 또한 경제, 교육, 과학기술뿐만 아니라 정치, 국방, 문화, 국제관계, 통일문제 등 국가의 미래전략을 세우고자 고심하였습니다.

서울대 사회학과 교수이자, 청와대 정책기획수석을 지낸 이각범은 다음과 같은 이야기를 들려주었습니다. 1992년에 박태준을 만났습니다.

“이 교수, 국가의 미래를 위하여 ‘국가 미래전략연구소’를 설립해 볼 수 있겠소?”

“국가 미래전략연구소라니요?”

“아, 우리나라가 장래 무엇을 어떻게 해야 국제사회에 잘 적응할지를 연구하는 연구소 말이요.”

“아, 네. 그런데 왜 회장님께서 그런 생각을 하셨습니까?”

“포항제철이 어떤 곳이요? 조상들의 피로써 만든 회사가 아니요? 그런 회사이니만큼 나라의 장래를 위하여 준비하는 것이 뭐가 이상하단 말이요.”

그러면서 덧붙여 몇 가지 말씀을 더 하셨습니다.

“초기에 필요한 자금은 40억 원을 조성해 주겠소. 포항제철이 중심이 돼서 현대, SK 등 협조를 받아내겠소.”

“그럼, 제가 무슨 일을 해야 합니까?”

“우선 일본에 가서 일본의 메이지시대를 연 지사들이 어떤 기개와 정열을 가지고 새로운 나라를 만들었는지, 그들과 관련된 일본의 유적지를 쭉 둘러보고 와서 구체적인 계획을 만들어 보시오."

박태준은 포항제철뿐만 아니라 우리나라 대기업들도 급변하는 세계 속에서 무엇을 어떻게 해야만 잘 적응할 수 있을지를 미리 연구해 두려는 뜻을 갖고 있었습니다. 그만큼 그는 장기적인 시야를 갖고 미래전략까지 중요시하였습니다.

그런데 1993년 문민정부가 들어서고 박태준이 포스코를 떠나 일본으로 나가서 장기 체류하는 바람에 연구소 설립은 실현되지 못했습니다.

그러나 박태준의 뜻이 마침내 이루어지게 되었습니다.

"박태준 창립자의 뜻을 우리가 이어가야 하지 않겠소?"

2013년 1월 17일 포스코 전 · 현직 회장 및 임원, 포항공과대학 총장, 각계 저명인사들이 모여 '박태준 명예회장 추모 사업위원회'에서 발의하였습니다. 포항공과대학교 이사회는 포항공과대학교 산하 부설연구소로 '포스텍 박태준 미래전략연구소'를 설립하기로 결의하고 마침내 2013년 2월 15일 연구소가 설립되었습니다.

박태준 미래전략연구소는 포스텍의 미래, 포항시의 미래, 나아가 국가의 미래를 위한 싱크탱크로서 미래의 조망과 대응전략을 연구하고 그 연구 결과를 사회와 공유하기 위해 세워졌습니다. 또 리더십 교재를 개발하고 박태준 학술연구를 열심히 하여 박태준의 정신을 우리 사회에 널리 전파하려고 노력하고 있습니다.

5. 300만 톤이 아니라 1,000만 톤 공장이오

포항제철 건설 초기에는 일본 기술단이 현지에서 기술자문을 하고 있었습니다. 아리가 단장은 유능하고 정직한 인재였습니다. 설비 구매 때나 기술 자문에서나 자기 나라, 자기 회사 일처럼 열심히 해주었습니다.

1973년 '김대중 납치사건'의 여파로 일본이 포항제철과 협력을 중단시켰을 때였습니다. 박태준이 유럽으로 날아가 유립 입체들을 포항제철 설비 입찰에 끌어들이자, 궁지에 몰린 일본 업체들이 부랴부랴 입찰에 다시 낄 수 있도록 해달라고 사정했습니다. 그때 일본이 내세운 사람이 바로 아리가였습니다.

그러나 그렇게 믿고 함께 일했던 아리가였지만, 박태준에게 결정적인 실수를 하고 말았습니다.

착공식 직후인 1970년 4월 어느 날이었습니다. 박태준은 일본 기술단이 그린 '공장 위치 계획도'를 살펴보다가 주먹을 불끈 쥐었습니다.

"이놈들이 이거, 엉뚱한 생각을 하는군."

도로 하나만 봐도 기껏 300만 톤 규모의 제철소에나 어울리는 것이었습니다. 박태준은 연필로 설계도면의 도로부터 두 배쯤 더 넓혔습니다.

다음날 아침 아리가 밑에 있는 요시다케 차장이 나타났습니다. 얼굴이 벌겋게 달아있었습니다.

"박 사장님, 이렇게 하시면 일을 진행할 수 없습니다."

도면에 손을 댔다고 항의하러 온 것이었습니다. 그를 앞에 두고 박태준은 거꾸로 하나씩 따졌습니다.

"자네들의 몫은 자문이고, 최종 결정하는 책임자는 바로 나야. 자네들은 계약에 따라 일을 끝내고 돌아가면 그만이겠지만 여기서 평생 쇳물을 뽑아내야 할 사람은 바로 우리일세."

요시다케는 고개를 떨어뜨리고 돌아갔습니다.

그날 낮 제철소 건설에 쓰일 내화벽돌 공장을 세울 조선내화 이훈동 사장이 찾아왔습니다. 이훈동 사장은 요시다케의 도면을 직접 본 사람처럼 굴었습니다.

"제철소 최종 규모가 어떻게 됩니까? 그게 확실해야 저희도 공장 규모를 결정하지 않겠습니까?"

"우리 계획이 미심쩍다는 얘긴데, 나름대로 생각하시오. 지금은 850만 톤 예정이지만 그때 가봐서 1000만 톤 하게 될 것입니다."

며칠 뒤 도쿄에 가서 아리가 단장을 만나고 온 이훈동 사장이 마치 귀한 정보를 얻어낸 듯이 다시 앞에 나타났습니다.

"아리가는 잘하면 300만 톤을 할 거라고 했습니다."

아리가의 정직한 눈에는 포항제철이 기껏해야 300만 톤에서 나가떨어질 거라고 예측했던 것입니다. 그러나 박태준 말을 믿지 않고 좁은 부지로 출발한 조선내화는 나중에 포항 바깥 지역에 제2공장을 따로 지어야 하는 낭패를 겪었습니다.

6. 축구전용 구장 하나쯤은 있어야

"박태준! 박태준!"

2011년 5월 15일 스승의 날에 포항 스틸야드는 박태준을 연호하는 군중들의 함성소리가 하늘을 찌르고 있었습니다. 박태준이 스틸야드에 나타난 것이었습니다. 포항 서포터들은 박태준의 얼굴이 그려진 특별한 걸개를 준비했습니다. 자신의 모습을 본 그는 환하게 웃으며 손을 들어 서포터들에게 화답했습니다.

박태준은 우리나라 축구 발전에도 큰 영향을 미쳤습니다. 1973년 포항제철을 완공한 뒤 쇳물을 생산해내자 바로 실업축구팀을 만들었습니다. 한국 최초의 실업팀이었습니다. 그 후 1984년 프로축구 명문 포항스틸러스의 전신인 포항제철 아톰

즈 축구단을 만들었습니다.

"축구를 하는 나라에 제대로 된 축구장 하나는 있어야 한다."

1990년 11월 10일 한국 축구 역사에 길이 남을 축구전용 구장을 완공했습니다. 이 경기장은 최고의 관람 환경을 자랑하는데 경기장과 관중석의 간격은 불과 3m이었습니다. 축구공이 관객들의 바로 눈앞에서 날아다니고, 선수들의 거친 숨소리를 바로 곁에서 들을 수 있습니다.

2002 월드컵 준비과정에서 한국 유치위원회는 1995년 국제축구연맹(FIFA) 평가단을 스틸야드로 안내한 뒤 "이런 중소도시에도 축구전용 구장이 있을 만큼 축구에 대한 열기가 높다"라고 소개하였습니다. 당시에는 그게 우리나라의 유일한 축구전용구장이었습니다. 지방 도시에 우뚝 선 축구전용 구장을 본 실사단은 "원더풀"이라면서 연신 감탄했습니다. 스틸야드가 없었다면 우리는 과연 실사단에게 한국 축구의 시설이라고 내세울 만한 것이 있었을까요? 우리는 그 월드컵에서 8강을 넘어 4강까지 올랐습니다.

박태준은 포항제철과 스틸야드뿐 아니라 1994년에는 전남드래곤즈와 광양축구전용 구장 역시 같은 방식으로 추진했습니다. 특히 광양축구전용 구장을 만들 때는 증축을 고려해 지붕을 얹지 않을 정도로 미래를 내다보는 등 당장에 급급한 일만을 처리하지 않았습니다.

“프로라면 당연히 경쟁력 있는 외국인 선수를 데려와야 한다.”

박태준은 1983년 프로축구가 출범하자 눈을 외국으로 돌렸습니다. 프로축구 역사상 외국인 선수 1호인 세르지오와 호세가 포항제철 소속으로 뛰게 된 것도 박태준 회장의 지시가 있었기 때문이었습니다.

이 외에도 박태준은 유소년 축구 정책 수립에도 앞장섰습니다. 포스코교육재단 초등학교부터 고등학교까지 유소년 축구단을 조직하여 운영하고 있습니다.

박태준은 기업이 낸 성과는 반드시 사회에 돌려줘야 한다는 사명감을 깆고 살았습니다. 그 방법 중 하나가 축구였습니다. 축구는 팀워크를 중시하는 데다 지구촌에서 가장 사랑받는 스포츠여서 외교적으로도 도움이 된다고 판단했습니다. 실제로 2002년 월드컵 개최는 대한민국을 전 세계에 널리 알리는 계기가 되었습니다.

7. 빈대약이 살려낸 대한중석

박태준은 군을 제대하고 대통령의 지시로 적자에 허덕이고 있는 대한중석의 사장으로 가게 되었습니다. 박태준은 대한중석 사원주택을 살펴보고자 찾아갔습니다.

산기슭의 사원주택단지를 둘러보는 박태준은 숨이 막히는 듯했습니다. 일제 때 지은 다락집들은 거의 헛간 수준이었습니다. 세계 굴지의 텅스텐을 수출하는 회사가 종업원들을 세계 최저 수준의 주거환경 속에 방치해두고 있었습니다. 그는 종업원들의 얼굴에 묻은 그 이상한 피로감의 정체를 알아차렸습니다.

박태준은 직원 가족들과 직접 대화를 나누고 싶었습니다. 마침 마을 앞으로 흐르는 개울에서 아주머니들이 빨래를 하고 있었습니다.

"새로 부임한 사장입니다. 여러 가지로 고생이 많겠습니다."

아주머니들이 머뭇머뭇 손길을 멈추었지만, 다소 어려운 듯 고개는 돌리지 못했습니다.

"무슨 일이든 건의할 것이 있으면 얘기해 보세요."

박태준이 물었지만 아주머니들은 제대로 말을 하지 못하였습니다. 가슴에 맺힌 말을 꺼내려고 애쓰는 것같이 느껴져 그는 같은 말을 세 번이나 부드럽게 반복했습니다. 비로소 한 아주머니가 입을 열었습니다.

"사택에 빈대약이나 좀 쳐주세요."

그 말을 시작으로 아주머니들마다 한마디씩 거들었습니다.

"빈대가 하도 많아서 식구들이 밤잠을 제대로 못 자고 있습니다."

"맞아요. 저희 집도 그래요."

"빈대약만 있어도…."

박태준은 깜짝 놀랐습니다. 사장에게 원하는 것이 기껏 빈대약이라니 기가 막혔습니다. 월급을 올려달라든가 사택을 좋게 고쳐 달라든가와 같이 돈이 많이 들어가는 것을 말할 줄 알았습니다.

관리사무소로 발길을 돌린 박태준은 즉시 담당 간부를 불렀습니다.

"빈대 때문에 우리 직원들과 가족들이 밤잠을 못 잔다, 이게 말이 되는 거요? 당장 모든 사택에 디디티(DDT)를 뿌려 빈대를 제거하시오!"

"하지만 사장님, 예산 책정이 돼 있지 않아 구입 절차가 매우 까다롭습니다. 우리 회사는 적자를 면치 못하고 있고, 매달 직원들에게 봉급을 제때 주는 것도 힘든 상황입니다만."

"회사경영은 내가 책임질 문제요. 회사를 살리려면 사원을 더 행복하고 건강하게 만들어야 하지 않겠소?"

담당 간부를 닦달한 후 서울로 올라온 박태준은 사원들의 후생복지 수준을 획기적으로 높이면서 경영 불합리성을 신속하고 강력하게 해결해나갔습니다.

박태준의 마음속에는 오직 대한중석을 반석 위에 올려놓아야 한다는 생각뿐이었습니다. 그 길이 국가와 민족을 위하여 자신이 해야 하는 사명이라 여겼습니다.

8. 과학 강국의 밑거름 방사광가속기

포항공과대학교에 가면 방사광가속기라는 최첨단시설이 있습니다. 전자를 빛의 속도로 가속했을 때 생기는 밝은 빛(X선)으로 미세한 물질이나 현상을 관찰하는 장치입니다. 쉽게 말해 '건물만큼 거대한 슈퍼현미경'입니다. 단백질 같은 생체구조를 분자 수준에서는 물론, 원자 수준에서도 볼 수 있어 신소재, 신약개발 등 산업발전에 크게 기여하는 장치입니다. 최근에는 신종플루 치료제인 타미플루를 개발하는 데 공헌하기도 했습니다.

어느 날 김호길 포항공대 학장이 박태준을 찾아왔습니다.

"우리 대학에 방사광가속기를 하나 만들어야겠습니다."

박태준은 막대한 예산이 드는 방사광가속기를 꼭 만들어야 하는가를 고민했습니다. 미국이며 일본, 유럽 등 방사광가속기가 있는 나라에 출장 갈 때면 가속기 기술 도입이나 사업비 등 관련 정보를 수집하며 시설을 꼼꼼히 살펴보았습니다. 그 결과 대한민국이 생명공학 · 의학 등에서 첨단 과학기술의 기초를 다져 과학기술 강대국이 되기 위해서는 반드시 필요한 장비가 바로 '방사광가속기'라는 결론을 내렸습니다.

"조상들이 희생한 대가로 건설한 포항제철의 아들과 같은 포항공대가 아닌가! 한국 이공계 분야를 이끌 수 있다면 무엇이라도 해 주어야 한다."

박태준은 과기처 장관 등을 상대로 설치와 운영에 대해 도움을 요청하였습니다.

"건설비 대부분은 포항제철이 감당할 테니 과기처는 건설 예산 일부와 운영자금을 마련해 주시오."

이렇게 한참을 밀고 당긴 끝에 1991년 4월 1일 방사광가속기 공사에 들어갈 수 있었습니다. 방사광가속기의 부지는 18만 9000평. 나중에 포항제철처럼 커질 것에 대비해 아예 터를 넓게 잡았습니다.

포스텍 방사광가속기는 세계에서 다섯 번째인 3세대를 거쳐 현재 세계 세 번째로 4세대 방사광가속기를 건설하여 운영하고 있습니다. 4세대 방사광가속기에서 나오는 빛은 바로 이전의 3세대보다도 1억 배나 밝고, 햇빛보다도 100경 배 밝다고 합니다. 파장의 폭도 짧아서 나노미터(10억 분의 1m) 단위의 작은 물질을 분석할 수 있습니다. 말하자면 생체 내에서 일어나는 분자나 원자의 움직임을 실시간으로 확인할 수 있습니다.

4세대를 이용하면 이전보다 효과가 뛰어난 신약을 만들거나, 생체를 훨씬 정교하게 모방하는 기술을 개발할 수 있습니다. 살아 있는 세포 속에서 단백질 같은 생체분자가 움직이는 모습을 순간순간 포착할 수 있기 때문입니다. 치매와 당뇨 같은 난치성 질환이 일어나는 원인을 밝힐 수도 있을 것입니다. 반도체 등 소재분야에서도 새로운 구조를 개발해내는 등 도약이 기대되는 부분입니다.

이제 이 방사광가속기 덕분에 국내 연구자들은 미국, 일본 등 선진국을 찾아갈 필요 없이 국내에서 연구할 수 있게 되었고, 현재는 세계 곳곳에서 이를 활용하기 위해 포항공대를 찾고 있습니다.

방사광가속기 건설은 한국 이공계 분야를 선도하며 발전시켜 과학강국을 이룩하겠다는 사명감 없이는 불가능한 결단이라고 할 수 있습니다.

정박사 리더십이야기

사명감에 대하여

가장 멋있고 아름다운 인간 중에 사명감이 있는 인간이 으뜸이라고 합니다. 사명감이란 자기의 본분을 지키는 것을 말합니다. 우리 사회의 모든 사람들이 각자의 본분을 지키면서 살아간다면 이 사회는 너무나도 행복한 사회가 될 것입니다. 우리 국민들의 안전과 생명을 위해서 애쓰고 계시는 소방관들은 어떤 사명감을 가지고 일을 하고 있을까요? 그분들은 나의 가족을 구한다는 사명감을 가지고 불 속에 뛰어 들어간다고 합니다. 그래서 어떤 학자는 사명감을 '당신이 타인에게 기여하고 있다는 생각'이라고 정의하기도 합니다. 즉 개인적인 차원을 넘어 더 큰 의미를 지니고 있다는 것입니다.

여기 두 사람이 있습니다. 한 사람은 돈을 벌기 위해 일하는 사람이고, 다른 한 사람은 일 자체에 사명감을 가지는 사람입니다. 이 두 사람의 인생은 어떤 결과가 나올까요? 돈을 벌기 위해 일하는 사람은 일을 억지로 하기 때문에 짜증이 많이 날 수 있을 것입니다. 반면 일에 사명감을 가지고 일하는 사람은 보람을 느끼고 스트레스도 덜 받고 일할 것입니다. 그러므로 일할 때 돈을 버는 목적보다는 일 자체에 사명감을 가지고 해야 합니다. 그렇다면 왜 그럴까요? 이유는 결국 해야 되기 때문인 것입니다. 우리는 일을 하기 싫다고 해서 안 할 수는 있는 것이 아닙니다. 어차피 해야 되는 일, 사명감을 가진다면 보람도 느끼고 일에 능률도 올라갈 것입니다.

박태준은 포스코 직원들이 가져야 하는 사명감에 대하여 다음과 같이 강조하였습니다. "사람이란 돈을 많이 벌기 위해서 살거나 자기 명예를 위해서 사는 등 여러 가지 목표가 있을 것입니다. 하지만 우리 포스코에 들어올 때는 다른 기업에서보다 돈을 더 많이 벌 수는 없다는 생각으로 들어왔다고 봅니다. 만약 돈을 목적으로 들어온 사원이 있다면 당장 나가달라고 부탁하고 싶습니다. 나도 국민의 한 사람으로서, 자랑스러운 일을 하고 싶다는 생각으로 들어왔습니다. 대부분 그런 생각을 가지고 있는 줄 알고 있습니다. 본인이 하는 일이 국가를 위한 중요한 일이라고 생각하기에 포스코에 입사한 것이라고 생각합니다. 그렇게 입사한 사람이 창의력을 발휘할 수 있는 기회는 없고 사사건건 상사의 간섭만 받으면서 능력도 없는 관리자 밑에서 무슨 일을 하겠느냐는 식의 생각 때문에 이 직장을 떠나거나 떠나고 싶은 사람이 있어서는 절대 안 되며 이런 못난 관리자는 더더욱 절대 용서하지 않을 것임을 명심하시기 바랍니다."

보통 사람들은 자신이 좋아하는 일을 할 때는 열정적으로 임하지만, 그렇지 않은 일을 할 때는 열심히 하지 않는 경우가 많습니다. 하지만 박태준은 달랐습니다. 무엇이든 자신에게 주어진 일이라면 열심히 하는 정도가 아니라 아예 목숨을 걸고 달려들었던 것입니다. 그것은 그에게 사명감이 있었기 때문입니다. 그는 나라와 국민의 행복을 위해 헌신하는 삶을 살고자 했기 때문입니다. 한평생을 투철한 사명감으로 살았던 정신이 바로 포스코의 성공으로 이어진 것입니다. 어떤 일을 하려고 할 때 제일 중요한 것이 무엇일까요? 무엇보다 중요한 것은 마음가짐입니다. 이러한 마음가짐은 어떻게 가져야 할까요? '할 수 있다'는 자신감과 사명감이 가장 중요하다고 이야기합니다. 자신감만 있으면 못할 일이 없기 때문입니다. 자신감이 부족하면 어떤 일에도 적극적으로 달려들지 못하죠. 자신감은 열심히 하려는 자세에서 나옵니다. 또한 주어진 일을 열심히 하기 위해서는 사명감이 중요합니다. 이러한 사명감은 스스로 더욱 크고 굳센 마음을 갖게 합니다. 그렇다면, 어떻게 하면 사명감을 가질 수 있을까요? 먼저 세상을 긍정적으로 바라보는 것이 필요합니다. 일을 억지로 하려하지 않고 긍정적으로 받아들이는 것이 중요합니다. 그리고 남을 위해서 내가 어떤 도움이 될 수 있을까? 하고 생각하는 것입니다. 이러한 차이에 따라서 여러분의 인생이 크게 달라질 수 있음을 반드시 기억하기 바랍니다.

Ⅳ. 비전

1. 노벨상은 언제쯤이나?	2. 정부가 대주주인 민간기업체	3. 제철보국
8. 기회마저 잃어버린 중국 투자	**Ⅳ. 비전**	4. 국내 최초 민간 통근열차
7. 광양제철소 건설 뒷이야기	6. 숲 속의 제철소	5. 해외 유학 장학회 운영

"대~한민국! 짜잔~짜 잔~짜!"

2002년 월드컵 당시 대한민국 국민들은 모두가 붉은 악마가 되어 우리 축구팀을 열렬히 응원하였습니다. 우리 축구 팀이 4강에 올라가 준결승전을 치르는 서울 올림픽 경기장에는 '꿈☆은 이루어진다.'는 대형 응원기가 온 응원석을 덮을 정도였습니다. 이런 붉은 악마들의 응원 장면은 지구촌 여러 나라 사람들에게 큰 관심을 모으기도 했습니다.

한국이 준결승전까지 오르리라고 아무도 상상도 못했습니다. 그런데 바로 우리 축구팀이 이루어냈습니다. 그 비밀은 거스 히딩크 감독이 갖고 있었습니다.

2002년 월드컵 당시 첫 경기였던 폴란드전 전날 밤 히딩크 감독은 한국 선수들을 자기 방으로 한 명씩 불렀습니다. 좀처럼 개인 미팅을 하지 않았던 히딩크 감독은 선수들에게 그동안의 체력측정 결과를 보여주며 다음과 같이 말하였습니다.

"지난 5개월 동안 너의 체력이 향상된 것을 눈으로 확인해 봐라. 우리가 월드컵에서 맞붙을 선수들은 세계 최고의 스타플레이어지만 너의 실력도 절대 그들에 못지 않다. 나는 세계 최고 스타들을 직접 감독했던 사람이다. 누구보다도 그들을 잘 알고 있다. 그래서 우리 팀이라면 그들을 충분히 이길 수 있을 것이라고 확신한다."

사실 우리 선수들도 그만한 능력을 갖고 있지만, 세계적인 선수들인지라 알게 모르게 위축감을 갖고 있었습니다. 이 점을 간파한 유능한 히딩크 감독으로부터 인정받은 선수라는 자신감을 심어주었습니다. 그리고 이겼을 경우 세계적인 선수를 이긴 자신의 모습을 상상하게 하는 고도의 정신적인 비전을 제시하였습니다. 그 결과 우리 붉은 악마 축구단은 준결승까지 오르게 된 것입니다.

"여러분들의 비전은 무엇입니까?"

가끔 이런 질문을 받을 때가 있을 것입니다. 그러면 여러분은 무엇이라고 대답하십니까?

"저는 의사가 되고 싶습니다."

"저는 축구 선수가 되고 싶습니다."

아마 이런 말들을 할 것입니다. 어쩌면 여러분은 장래희망을 비전이라고 잘못 생각하고 있을지도 모르겠습니다. 비전은 장래희망보다는 좀 더 구체적이고 현실적인 것입니다. 막연히 '뭔가가 되고 싶다' 하는 목표를 가지는 것만으로 비전이라고 하지 않습니다.

비전이란 이루고자 하는 미래의 모습을 말합니다. 비전은 사람들이 믿음을 갖고 행동하도록 하는 미래의 성공한 모습이기도 합니다. 사람들에게 현재의 상태를 넘어서서 더 발전할 수 있게 도전하도록 한다는 것입니다. 훌륭한 리더는 사람들의 행동을 끌어주는 강력한 비전을 창출합니다. 비전은 리더가 다른 사람들에게 어떻게 영향을 미치고, 다른 사람들이 그의 리더십에 어떻게 반응하게 하는가 하는 중대한 역할을 합니다.

미국의 존 F. 케네디 대통령은 1961년 취임사에서 미국 국민들에게 다음과 같은 말로 도전을 심어주었습니다. "나라가 당신을 위해서 무엇을 할 수 있는가를 묻지 말고, 당신이 나라를 위해서 무엇을 할 수 있는가를 물으라."

이 말이 사람들에게 감동을 불러일으킬 수 있었던 이유는 자기의 이익을 넘어서 더 큰 국익을 위해서 일할 것을 요청했기 때문입니다. 케네디의 이러한 비전은 미국 발전에 커다란 영향을 끼쳤다고 합니다.

박태준 설립 이사장이 포항제철동초등학교 개교식에서 이기적 교장에게
교기를 전달하고 있다.(1987. 3. 5.)

▲ 학위수여식 참석 모습

▲ 대처 영국수상 대학 건설현장 방문(1986. 5. 4.)

▲ 노벨상 수상자 부부 초청(1989. 11.)

◀ 제1회 학위수여식(1991. 2. 20.)

1. 노벨상은 언제쯤이나?

"언제쯤 빈 좌대를 채울 수 있겠소?"

"15년쯤 뒤면 되지 않겠습니까?"

박태준과 포항공대 초대 학장이었던 김호길이 교정의 빈 좌대를 바라보며 이야기를 나누었습니다. 박태준은 우리나라 과학자가 노벨상 받는 것을 간절히 바라는 사람이었습니다. 그 소망을 실현하고자 포항공대를 설립하였습니다.

미국 캘리포니아공대(칼텍 · Caltech) 교수 식당은 '애서니움(Athenaeum)'이라는 이름을 갖고 있습니다. 라틴어로 '아테네신전'이라는 뜻입니다. 애서니움 한가운데엔 '노벨 테이블'이 있습니다. 노벨상 수상자들이 모여 점심을 먹는 곳입니다. 1891년 설립된 칼텍은 노벨상 수상자를 31명 배출했습니다.

칼텍을 모태로 삼아 설립한 포항공대 학생들이 가장 많이 드나드는 무은재 기념관 앞 광장에도 노벨상을 받은 과학자들의 흉상이 있습니다. 전기의 발명자 에디슨, 상대성 이론의 아인슈타인, 빛의 전자이론의 맥스웰, 만유인력의 뉴턴 흉상입니다.

그 곁에는 얼굴도 이름도 없는 빈 좌대 두 개가 덩그러니 놓여 있습니다. 좌대 앞면에 '미래의 한국 과학자(?)'란 글자가 새겨져 있습니다. 좌대를 비워둔 것은 박태준의 뜻이었습니다.

"포항공대에 몸담은 한국 과학자가 노벨상을 타거나 그에 필적할 만한 업적을 이룩하면 그 좌대의 주인이 될 것입니다."

박태준은 이 나라에서 노벨상 수상자의 탄생을 기대하며, 그 주인공을 기다리며 비워 두자고 한 것입니다. 과학자들의 흉상과 마찬가지로 학생들에게 꿈과 이상을 심어주기 위해 만들어 놓은 상징물입니다.

박태준이 포항공대에서 가장 애착을 가졌던 곳은 바로 무은재 도서관 앞 광장이었습니다. 퇴임한 이후에도 1년에 한 번은 꼭 찾을 정도로 애정이 큰 곳이었습니다.

또한 포스텍 캠퍼스에는 노벨동산이 있습니다.

포스텍은 1989년 11월 당시 노벨상 수상자 10여 명이 대거 방문했을 때 기념으로 나무를 심었습니다. 이곳에는 낙우송, 금송, 배롱나무, 섬잣나무, 단풍나무 등입니다.

이후 매년 노벨상 수상자들이 방문하면 기념식수를 했습니다. 기념식수의 주인공들은 '죠셉슨 현상'으로 유명한 영국 태생의 물리학자 죠셉슨 박사를 비롯해 포터 박사(화학상), 몬탈치니 박사(의학상), 길버트 박사(화학상), 지에베 박사(물리학상), 글래쇼 박사(물리학상), 리히터 박사(물리학상), 허쉬바흐 박사(화학상), 램지 박사(물리학상), 로러 박사(물리학상) 등입니다. 또한 마가렛 대처 전 영국 수상의 기념식수도 있습니다.

중앙 분수대도 노벨상 수상을 염원한 상징물입니다. 포스텍은 개교 3주년을 맞이한 1989년, 대학본부와 포항산업과학연구원(RIST) 사이 광장에 분수대를 건립했습니다. 분수대에 마련된 불꽃은 '젊은 과학자의 열정'을, 청동인물상은 '과학지식을 탐구하는 과학자의 모습'을 각각 의미하고 있습니다.

하지만 아직도 박태준이 소망했던 노벨상 수상자는 나오지 않았습니다. 그러나 언젠가는 박태준의 소망이 반드시 이루어질 것입니다.

2. 정부가 대주주인 민간기업체

포항제철을 설립하게 된 배경은 1965년 5월 22일 당시 박정희 대통령이 미국을 방문하여 코퍼스(Koppers) 포이 회장을 만나 우리나라 종합제철 건설에 대한 의견을 교환하면서부터 시작하였습니다. 그 이듬해 1966년 12월 6일에 대한국제제철차관단(KISA)을 발족하고, 1967년 6월 30일 정부는 포항을 종합제철 건설 입지로 확정하였습니다. 1968년 3월 20일에 창립총회를 개최하여 회사 이름을 '포항종합제철주식회사'로 결정하였습니다.

그런데 이 '포항제철종합주식회사'의 회사 형태를 국가가 관리하는 국영기업체 형태로 할 것인가, 민간인이 관리하는 민간기업체 형태로 할 것인가를 놓고 논란이 많았습니다. 국영기업체 형태는 감시와 통제가 심해 관료적인 관리운영이 이루어질 단점이 있지만, 재정지원과 조세감면의 혜택에 용이한 장점이 있습니다. 민간기업체 형태는 경영효율성을 살리고 시장의 상황에 민첩하게 능동적으로 대처할 수 있는 장점이 있지만, 초기부터 소요되는 막대한 투자자금을 자립적이고 주체적으로 조달하기에 어려운 단점이 있습니다.

대통령과 정부에서는 국영기업체 형태로 가야 한다고 주장하였습니다.

"일본의 경우만 보더라도 명치 30년 이후 세워진 일본 제철소들은 50년 이내에 적자를 모면한 제철소가 없었소. 종합제철 설립에 관한 특별법을 제정하고 그것에 근거해서 회사를 만들고, 단서 조항에다 매년 회사를 경영한 결과를 정부 감사기관이 감사하기로 하고, 감사 결과 경영진이 올바르게 최선을 다했는데도 적자가 난 것은 정부의 예산으로 보증할 수 있도록 합시다."

혹시 적자가 나더라도 국가 예산으로 해결할 수 있도록 하면 안전할 수 있다는 것이었습니다.

"바로 그러한 단서 조항 때문에 국영기업체들은 최고관리자의 책임의식이 희박해져 적자를 내고 있는 것입니다. 우리나라 정치 현실을 감안해서라도 정치적 영향과 관료의 간섭을 막아낼 수 있는 민간 기업으로 가야 합니다. 모든 책임을 맡겨주십시오."

박태준은 민영기업의 형태로 가야 자신과 함께하는 동료들의 책임의식도 그만큼 강렬해질 것이라고 믿었습니다.

"우리가 국내 수요만 생각하는 제철소를 만들 수야 없지 않습니까?"

박태준은 국내 수요도 충당하고 수출도 당당하게 해내는 국제적인 제철소를 만들어 그가 추구하는 '제철보국'을 구현하는 원대한 포부를 실현하고 싶었습니다.

"국제경쟁력을 확보해서 수출할 때, 특별법에 따라 설립된 제철소는 반드시 심각한 문제와 부닥칩니다. 미국은 무역에 대한 규제가 까다롭지 않습니까? 한국 정부가 경영하는 제철소라 하면 규제 조치를 받을 수밖에 없을 것입니다. 덤핑 제소 같은 말썽이 생기는 제철소의 장래에 대한 고려도 매우 중요하지 않습니까?"

결국 박태준의 뜻대로 민간형기업체로 설립하기로 하였습니다.

박태준은 설립형태의 장단점을 세밀히 비교해 장점만 결합한 제3의 회사형태를 고안했습니다.

"상법상 민간기업 형태로 설립하되, 재원 마련을 위해 정부가 지배주주가 되도록 지분을 인수한다는 방식으로 하겠습니다."

정부 관리들은 반대했으나 경영의 자율성, 경영자의 책임감, 조직의 기동성을 보장해야 한다며 그들을 설득하여 끝내 성공하였습니다.

3. 제철보국

1968년 4월 1일, 서울 한복판인 명동 유네스코회관 3층에서 39명이 참석한 가운데 조촐한 기념식이 열렸습니다. '포항종합제철주식회사' 창립식이었습니다.

"포항종합제철의 모든 성공여부는 지금부터 우리에게 주어진 직접적인 사명이며, 따라서 우리 자신의 잘못은 영원히 기록되고 추호도 용납될 수 없으며 가차 없는 문책을 받아야 합니다."

박태준이 낭독한 포항제철 창립 기념사는 유례를 찾아보기 힘들 정도의 비장감으로 가득 차 있었습니다. 누구보다도 포항종합제철의 성공 없이는 국가의 미래도 없다는 점을 잘 알고 있었기 때문이었습니다.

우여곡절 끝에 1969년 12월 3일, 종합제철소 건설자금 조달을 위한 한일기본협약이 조인되었습니다. 마침내 종합제철소 건설이 시작될 수 있었습니다.

박태준의 포항종합제철소 책임자로서의 사명은 '제철보국'이었습니다. 즉 포항제철을 반드시 성공시켜 국가와 국민에게 보답하자는 것이었습니다. 포항제철을 세울 때 그 종잣돈은 대일청구권자금의 일부였습니다. 박태준은 이를 "조상의 혈세이며, 피의 대가"로 규정하였습니다. 그래서 조상의 피의 대가로 세운 포항제철을 기필코 성공시켜 국가에 보답하자는 의미를 담았습니다. '제철보국'은 1978년 3월 28일 직원들을 위한 연수원 특강에서 한 말이었습니다.

"창업 이래 지금까지 제철보국이라는 생각을 잠시도 잊은 적이 없습니다. 철은 산업의 쌀입니다. 쌀이 생명과 성장의 근원이듯, 철은 모든 산업의 기초 소재입니다. 따라서 양질의 철을 값싸게 대량으로 생산하여 국부를 증대시키고, 국민 생활을 윤택하게 하며 복지사회 건설에 이바지하자는 것이 곧 제철보국입니다. 우리는 국민과 인류에게 행복과 기쁨을 줄 수 있는 제철산업에 종사하고 있다는 것을 무한한 영광으로 생각해야 합니다."

박태준의 기업가 정신을 말할 때 '우향우 정신'이 약방의 감초처럼 등장합니다. 포항제철소 공장 부지를 마련할 때 인근 주민들의 집과 땅을 매입하다 보니, 주민들 모두가 이주해야만 했습니다. 조상 대대로 살아온 정든 마을을 떠나야만 했던 철거민들. 이들이 겪어야 했던 정신적 피해와 아픔에 대해 어떤 보상도 해줄 수 없었습니다. 그 희생에 보답하는 길은 제철소를 성공적으로 건설하는 것, 오직 그뿐이었습니다. 그날 이후 1기 준공까지 평소 즐겨왔던 술을 끊고 골프도 그만두었습니다.

"목숨을 걸자. 조상의 핏값(대일 청구권)으로 짓는 것이다. 실패하면 우리 모두 사무실에서 똑바로 걸어 나와 우향우 한 다음 영일만 앞바다에 몸을 던져야 한다."

스스로에게뿐만 아니라 직원들에게 이와 같은 말로 독려하며 철인 정신을 발휘하였습니다.

이렇게 시작된 '우향우 정신'은 건설 요원들이 어려움을 극복하는 에너지가 되었습니다. 이러한 포스코 정신은 오늘날도 이어지고 있습니다. 지금의 포스코 윤리헌장에 따르면 "희생과 봉사를 근간으로 하는 제철보국의 창업정신을 계승하고 새로운 시대정신을 반영한다."라는 표현과 "선열의 피와 창업세대의 땀으로 이룬 포스코를 우리 모두가 자랑스럽게 지켜가는 길"이라는 문구를 새겨 두고 있습니다.

4. 국내 최초 민간 통근열차

"칙칙폭폭 칙칙폭폭 뛰~~~~~"

통근열차가 기적 소리를 길게 울리며 제철역에 이르러 '쉬이~~~' 소리를 내며 멈추어 섰습니다. 누런 작업복에 헬멧을 둘러쓴 포항제철의 일꾼들이 훌쩍훌쩍 뛰어내렸습니다.

"통근열차가 있으니 출퇴근이 이렇게 유용할 줄 몰랐구만."

포항제철의 일꾼들을 효자동 주택단지에서부터 제철 공장까지 실어 날랐던 열차를 그들은 통근열차라고 불렀습니다. 포항제철 공장 지대는 직원들이 살고 있는 주택단지와는 상당한 거리에 있어 시내버스 등 대중교통도 매우 열악한 상황이었습니다. 포항제철 통근열차는 국내 최초로 사기업이 운영한 사설 철도였습니다. 우리나라 모든 철도는 국유화되어 있었습니다.

"포항제철소 건설 교통난을 해결하기 위해서는 철도를 놓고 싶은데 어떻게 하면 좋겠소?"

"철도는 국유라서 함부로 부설할 수가 없습니다만."

"열차를 구입하고 운영하는 일은 모두 우리가 할 테니, 철도청에서는 철로만 놔 주시오."

"거리는 얼마 정도입니까?"

"공장에서 효자동 주택단지까지 한 10여 Km쯤 될 거요."

통근열차는 철도청과 협의를 통해 1975년 6월 열차 2량을 구입하여 철도청에 기부한 뒤, 그해 7월 1일 역사적인 첫 운행을 시작하였습니다. 운행구간은 포항제철역~효자역~포항역까지 총 10.8㎞였습니다. 매일 새벽 5시 57분 교대 근무자를 위해 출발하여 밤 11시 30분까지 10차례씩 왕복 운행했습니다. 1996년 4월 열차 4량을 신형으로 교체하였습니다. '무사고 30년' 운행의 대기록도 달성했습니다.

"열차 요금이 얼마라구요?"

"28원이라는군. 같은 구간의 일반 요금 40원보다 적다니까."

개인이 표를 끊어 요금을 지불하는 방식이 아니었고, 회사측이 사용 요금을 일괄적으로 철도청에 지급하는 방식이었습니다.

통근열차는 산업역군들을 실어 나르는 역할뿐만 아니라 시민 등을 위한 교통수단이기도 했습니다. 프로축구 포항스틸러스 홈경기 때면 시민들에게 무료로 이용토록 해 열차 속이 온통 축구 이야기로 넘쳐났습니다.

"오늘 우리 부서 회식인데, 모두 열차를 타고 가야 하오."

"여부가 있겠습니까? 도망갈래야 도망갈 수도 없답니다."

직원 부서 회식 때에는 통근열차로 회식 장소까지 이동해 중간 이탈자가 한 사람도 없는 등 직원 단합 역할을 톡톡히 했습니다.

현재는 통근열차를 운행하지 않고 있습니다. 자가용이 급속도로 증가한 면도 있지만, 여러 가지 여건이 변하여 직접 운행하기 어려운 일이 발생하였기 때문이었습니다.

"통근열차를 운행할 수 없다니 많이 아쉽군."

"하루도 쉬지 않고 산업역군을 실어 나른 통근열차인데 나도 역시 같은 마음이라우."

포항 시민들은 통근열차 중단 소식을 듣고 아쉬워했습니다. 통근열차의 운행을 재개하여 제철소 방문객들을 위한 교통수단으로 활용해 줄 것을 간절히 바라고 있습니다.

5. 해외유학 장학회 운영

"해외유학 장학생 선발 시험을 꼭 봐야겠다!"

"무슨 소리야?"

"제철장학회에서 박사과정 해외유학 장학생을 선발한다고 신문에 공고되었던데?"

'해외유학'이 하늘의 별따기와 같았던 지난 1985년 박태준은 해외유학생 제도를 추진하였습니다. 21세기 고도산업사회에 소요되는 고급인력을 육성하여 국가발전에 기여할 목적으로 미국, 영국, 일본, 독일, 프랑스 5개국에 각 한 명씩 해외 박사과정을 지원하는 사업이었습니다.

"기업엔 한계가 있어도 교육엔 한계가 없다. 학생들이 공부만 잘할 수 있다면 포항공대 벽에 금을 칠해 달라고 하면 금이라도 바르겠다."

박태준의 교육에 대한 지론이 이 한마디 말 속에 다 포함되어 있습니다.

포항제철장학생은 유학비 지원액으로 당대 최고 수준이었습니다. 일본의 문부성 장학생 지원비(당시 대기업 입사 초봉 수준)와 비슷했으며 논문제출, 해외학회 참여 등의 경비를 추가적으로 지원해주었습니다.

"큰 자부심을 갖고 공부했죠. 저뿐만이 아니라 전 세계 유수의 대학에서 전자공학, 생물학, 화학, 정치외교 등 각 분야에서 장학생들이 공부했습니다."

해외 장학제도의 혜택을 받은 총 71명이 포항제철장학생으로 배출돼 해외 유수의 대학에서 선진 기술과 학문을 익혔습니다. 이들은 현재 서울대를 비롯한 유수 대학의 교수, 국책연구기관의 연구원, 기업체 임원 등 우리 사회 각 분야에서 전문가로 활동하고 있습니다. 안타깝게도 이 포항제철장학생 제도는 1994년 11기를 끝으로 중단되었습니다.

박태준은 일본 망명 시절, 일본 도쿄의 작은 아파트에서 기거했습니다. 당시 그의 소중한 말벗은 자신이 직접 뽑은 일본 유학 포항제철장학생들이었습니다. 박태준은 이들을 집으로 불러 한 명, 한 명 술잔을 기울이며 어떤 공부를 하고 있는지 일일이 챙겼습니다.

"포항제철에서 너희들 장학금, 그 돈을 어떻게 버는지 알지 않느냐. 헛되게 하지 말고 공부 열심히 해라."

이 장학생들은 현재 포스코 월드 아카데미 클럽(PWAC)을 조직하여 운영하고 있습니다. PWAC회원들은 다양한 전문 지식과 경험을 우리 사회로 환원하기 위해 주요 사회 이슈와 관련된 저술, 대중 강연 및 교육 봉사활동을 펼치고 있습니다.

박태준은 PWAC 정기 모임에 초청되어 회원들과 함께 단란한 시간을 보내며 국내외 여러 문제들을 허심탄회하게 이야기하기도 하였습니다.

"우리나라는 자원이 빈약해 사람을 잘 육성하는 것이 가장 중요하다는 생각으로 여러분을 직접 면접하고 선발했습니다. 20년이 지나 여러분이 사회의 각 분야에서 중견 리더로 성장해 활동하는 모습을 보니 반갑고 뿌듯합니다."

그는 그들을 보며 감회가 남다른 듯 애정 어린 눈빛으로 당부하였습니다.

"자원도 기술도 경험도 없이 오직 사람의 창의로 포스코를 건설해 국가 발전에 기여했듯이 여러분도 맡은 분야에서 최선을 다하고 인재를 길러 국가에 기여하길 바랍니다."

6. 숲 속의 제철소

"공원처럼 아름다운 환경에 정말 놀랐습니다. 1986년 예산의 11%에 해당하는 1억 달러 이상을 제철소의 환경을 유지하고 가꾸는 데 사용한다는 말을 듣고 저는 깊은 감명을 받았습니다."

철의 여인 영국의 마가렛 대처 수상이 포항제철을 방문하여 제철소 내 녹지 환경을 보고 한 말이었습니다.

아름다운 제철소는 박태준이 갖고 있는 철학의 일부였습니다. 제철소를 철만 만드는 그런 딱딱한 공장으로만 만족할 수가 없었습니다. 비록 딱딱한 쇠를 만드는 공장에서 종일 일하지만, 일하면서 주변 환경이 자연친화적이고 늘 푸른 환경이라면 심리적으로 편안함과 안정감을 유지하여 피로도가 적어 사고율이 낮아지고 대신 생산성이 높아질 것이라 생각한 것입니다.

"자연환경 속에서 산다고 느끼는 사람들은 행복합니다. 하지만 생활환경은 깨끗이 유지할 때만 가치가 있습니다."

포항제철소는 물론이고 광양제철소 역시 매립지에 공장을 건설하였습니다. 바닷바람이 몰아치는 야적장에 쌓아 둔 철광석이나 석탄 가루를 보호하려면 방풍림 역할도 필요했습니다. 강풍에 먼지들이 공장과 인근 도심지로 날아다닌다면 여러 가지로 큰 피해를 입을 수 있었습니다. 그래서 상록활엽수, 침엽수 같은 나무들을 대량으로 심었습니다. 그들이 무럭무럭 자라 이제는 '숲 속의 제철소'라든가 '공원 속의 제철소'

와 같은 말을 듣게 되었습니다.

"포항제철소에 심어진 나무만 193만 그루, 광양제철소는 500만 그루가 넘습니다. 합치면 700만 그루에 가깝습니다."

나무는 방풍림 역할 외에도 계절에 맞춰 푸른 잎과 새순, 색색의 예쁜 꽃을 피우는 등 환경을 보다 아름답게 꾸며주어 심리적 안정감과 즐거움을 제공하였습니다. 이 때문에 포항제철소는 선강지역뿐 아니라 압연지역 등 제철소 전역에 교목과 관목을 조화롭게 심어 녹색의 친환경 제철소로 가꾸어 가고 있습니다.

포항제철소 녹지 220만 m^2와 광양제철소 녹지 469만 m^2는 서울월드컵공원 부지 면적(21만 m^2)과 비교해보면 포항제철소 녹지공간은 월드컵공원의 10배, 광양제철소 녹지공간은 무려 22배 이상이 된다고 합니다.

포스코의 녹화사업은 제철소 내 · 외부의 다양한 환경 특성을 고려해 세심하게 진행되었습니다. 예를 들어, 제철소 내 사철나무나 철쭉 같은 상록활엽관목 비중이 높은 데도 다 이유가 있습니다. 공장 지역에 낙엽이 많이 떨어지면 그로 인해 설비 시설물에 문제가 발생할 수 있기 때문입니다. 선강지역이나 비산분진이 발생할 수 있는 지역의 경우 먼지 억제를 위해 계단식으로 나무를 배열하였습니다. 또한 조경 설계를 할 때도 지하 배관 등을 고려해 나무가 성장하는 데 방해가 되지 않는지를 고려하였습니다.

모래가 날리는 황량했던 벌판 위에 쇳물이 흐르는 제철소와 녹색 공간이 조화를 이루기까지, 그리고 공원 속의 제철소가 계속해서 그 명맥을 유지하기 위한 체계적인 계획과 꾸준한 노력이 있었던 것입니다.

7. 광양제철소 건설 뒷이야기

"너는 임마, 토목기술자로서 양심도 없는 놈이야! 박 사장이 시킨다고 안 되는 일을 된다고 고집을 부려? 나는 27년간 항만일을 해 온 사람이야. 내가 직장 구해줄 테니 당장 그만둬."

1980년 6월 서울 삼청동 국보위 건설분과 위원회실에서 건설부 Y국장이 포항제철 공사부장 유상부(포스코 회장 역임)를 질책하는 고함이었습니다. 제2제철소 부지 선정 때문이었습니다.

제2제철소 입지 선정의 일차적 책임과 권한은 건설부에 있었습니다. 1978년 가을 후보지는 서해안 가로림만이었습니다. 처음에는 서해안의 아산만과 동해안의 영해만이었습니다. 제2제철 사업자 경쟁에서 탈락했지만 재빨리 서해안의 가로림만으로 바꾸고 경제수석을 설득하고, 대통령에게 가로림만을 건의했습니다.

박태준은 1979년 5월 초 외국기관이 조사한 가로림만과 아산만 자료를 놓고 포항제철 임원들에게 무기명으로 점수를 매겨보라고 했습니다. 그러나 공교롭게 둘 다 123점이었습니다. 이어 국내 4개 업체의 평가 결과가 나왔습니다. 오직 현대에서만 가로림만이고, 동아, 대림, 삼환은 아산만이었습니다. 결국 건설부의 뜻대로 아산만이 선택되었습니다.

하지만 아산만 현장을 직접 조사한 포항제철 직원들은 중대한 결함들을 찾아냈습니다. 개량하기 힘든 악성 연약지반, 초중량 구조물을 견디기 어려운 편마암 지대, 여기에다 조수 간만을 극복하기 위한 거대한 갑문도 필요했습니다.

박태준은 이때부터 광양만을 생각했습니다. 광양은 1973년 제2제철 이야기가 처음 나올 당시 후보지로 거론된 곳이었습니다. 박태준은 이맹기 예비역 해군 제독을 찾아갔습니다. 배가 정박하기에 어디가 가장 좋으냐고 물었더니, 대뜸 광양만을 꼽았습니다. 그는 1979년 말 유상부에게 지시했습니다.

"경제가 마이너스 성장이야. 중공업 가동률을 높이려면 제2제철 건설이 시급해요. 전남 광양만을 조사해 보시오."

1980년 1월 혹한의 겨울에 조사반은 김 장사로 위장하고 광양만으로 갔습니다. 광양만은 아산만보다 훨씬 양호한 조건이었습니다. 최대 약점이던 연약지반은 일본의 경험에 따라 모래말뚝 공법으로 얼마든지 개량할 수 있었습니다. 포항제철은 광양만과 아산만을 비교분석한 과학적 데이터를 정리하였습니다. 그 결과를 가지고 당시 정부와 최종 결정 회의를 했습니다.

먼저 건설부 쪽에서 아산만의 제철소 입지 타당성을 브리핑했습니다. 귀 기울여 듣던 당시 전두환 대통령이 고개를 돌려 물었습니다.

"박 위원장은 의견이 많으시겠지요?"

박태준은 핵심 요지 세 가지를 설명하였습니다. 아산만의 지하 암반은 45도로 경사져 파일을 안정시키기 어렵다, 간만의 차가 커서 15만 톤짜리 도크를 만들자면 그 비용과 시간이 엄청나다, 광양만의 연약지반을 개량할 공법이 있다는 내용이었습니다.

이윽고 전 대통령이 눈을 들어 벽에 걸린 지도를 쳐다보았습니다.

"나는 칠은 몰라도 안보는 압니다. 태안반도는 휴전선과 가깝고 저 산둥반도 쪽에서 내려오는 북한 공작선이 침투하는 목표지점입니다."

오랫동안 밀고 당긴 제2제철소 입지가 드디어 광양만으로 최종 결정되는 순간이었습니다.

8. 기회마저 잃어버린 중국 투자

박태준은 1990년 8월에 'POSCO 2000' 계획을 세웠습니다. 광양 제철소까지 마무리되면 또 다른 비전이 필요했기 때문이었습니다.

이 계획에 따라 포스코는 사업 다각화를 시도했습니다. 당시 기아자동차 · 쌍용자동차와 합작을 타진했으나 성사되지 못했습니다.

그래서 눈을 돌린 곳이 '중국과 동남아', 그리고 '정보통신'이었습니다.

박태준은 특히 초고속 인터넷에 관심이 컸습니다. 철강에 이어 또 하나의 국가 기반산업이 될 것이라고 느꼈기 때문이었습니다. 박태준은 포스데이타를 세우고 삼보의 이용태 회장과 일본 소프트뱅크의 손정의 회장과 손잡았습니다. 이를 위해 서울 대치동에 첨단 인텔리전스 빌딩을 지었습니다.

그러나 박태준이 포스코에서 물러나자 모든 게 뒤틀려버렸습니다. 정보통신 메카로 구상한 서울 대치동 빌딩에 느닷없이 포스코 본사가 입주해 버렸습니다.

중국에 대한 투자 기회 상실은 훨씬 뼈아픈 대목이었습니다. 중국의 덩샤오핑(鄧小平)은 1978년 "박태준을 수입하고 싶다"고 말했다고 합니다.

1985년 9월에는 첫 현대적 제철소인 바오산(寶山) 제철소의 제1고로 화입식(火入式)을 했습니다. 중국은 이때부터 포스코에 손을 뻗쳐왔습니다. 공식적인 한 · 중 수교는 1992년 8월에야 이루어졌으니, 그보다 훨씬 전이었습니다.

포항제철이 박태준에게 고향이라면 광양제철은 자부심의 원천이었습니다. 순수하게 우리 기술, 우리 손으로 지었기 때문이었습니다. 광양제철은 원료 투입에서 완제품 배출까지의 생산라인이 일직선이고, 세계 어느 제철소보다 짧았습니다. 그만큼 생산효율이 높았습니다.

박태준은 광양제철을 신일본제철을 제치고 중국 측에 먼저 보여주었습니다. 당시 광양 건설현장을 열심히 오간 인물이 베이징과학기술대의 주(朱)모 교수였습니다.

박태준은 또 싱가포르 · 홍콩 등에 이사급 지사장을 내보냈습니다. 공식 수교 전이라도 중국을 미리 공부해 앞날에 대비하자는 조치였습니다. 그러나 이들 지사장은 '좌천당했다'고 느낀 모양이었습니다. 박태준이 물러나자마자 후임 경영진은 이사급 지사장들을 불러들이고, 보다 낮은 직급을 지사장으로 내보냈습니다.

1990년대 초반 중국 바오산 제철소 규모는 연산 200만 톤에 불과했습니다. 박태준은 포항 · 광양에 이어 중국에 1000만 톤짜리 포스코 제3제철소를 짓겠다는 구상을 내놓았습니다. 중국은 믿지 못하겠다는 표정이었습니다.

"문제가 생겨도 중국에 세운 제철소를 한국으로 짊어지고 갈 수는 없잖소?"라고 설득하자 중국도 본격적으로 팔을 걷어붙였습니다.

하지만 이 계획도 박태준이 포스코에서 물러나면서 물거품이 되고 말았습니다. 그 후 바오산 제철은 신일본제철의 도움을 받았고, 지금은 조강생산 능력 세계 9위로 올라섰습니다. 포스코는 요즘 뒤늦게 중국 진출에 열을 올리고 있습니다. 잃어버린 중국 투자 10년, 그 천금의 기회가 그렇게 아쉽게 사라져 버렸습니다.

정박사 리더십이야기

비전에 대하여

비전(vision)이란 자신이 원하거나 달성하고자 하는 것들을 구상하여 나아갈 방향과 기간을 구체적으로 보여 주는 것입니다. 이것은 꿈(dream)과는 조금 다른 의미를 가지고 있습니다. 꿈은 두루뭉술하고 정적이며 시간성이 구체적이지 않은 막연한 목표라고 한다면, 비전은 구체적이고 동적이며 시간성이 보다 명확한 것이라고 할 수 있습니다. 따라서 꿈에 구체적인 내용을 집어넣고 어떻게 할 것인지 그리고 언제까지 할 것인지 명확하게 설정하면 그것이 비전이 되는 것입니다.

포스코 설립자 박태준의 비전 경영에 대하여 좀 더 살펴보겠습니다.

박태순은 포스코 임직원들을 모아 놓고 다음과 같이 본인이 생각하는 회사의 비전을 말했습니다.

"본인이 평소에 항상 가지고 있는 생각이면서 꼭 그렇게 된다는 확신을 가지고 있는 것인데, 1980년대까지는 일본이 세계 철강공업을 리드해 나가리라고 보지만 1980년대 이후부터는 우리의 시대가 온다는 것입니다. 그러한 점에서 우리는 계속 과감하게 생산을 확장해 나가야 됩니다. 이러한 비전을 가지고 각기 맡은 일에 최선을 다한다면 반드시 세계 최고의 철강회사를 우리는 만들 수 있다는 것을 명심하시기 바랍니다."

우리나라 일간지인 중앙일보에서 박태준에 대한 비전과 청렴이라는 제목으로 실린 기사를 보면 다음과 같습니다.

"본 기자는 박태준이 일평생 보여 준 '비전 리더십'이 수많은 포스코인은 물론, 이 땅에 사는 많은 사람의 마음을 움직인 원동력이라고 생각합니다. 모래바람 부는 포항의 영일만에서 '우향우 정신'을 외치고, 대충 넘어가려는 부하직원을 용납하지 않고, 지휘봉을 휘둘렀고, 이런 박태준의 행동에도 직원들은 기꺼이 그의 말을 따랐습니다. '산업의 쌀'인 철을 만들어 내는 제철소를 지어 놓으면 후손들이 배불리 먹고 잘살 수 있는 조국 근대화의 기반이 마련된다는 꿈을 함께 공유했기 때문입니다. 이에 구성원들은 희생을 이겨내며 박태준을 따른 것입니다. 박태준은 '세계 최강의 포스코를 만들어 달라'는 유언을 통해 그의 비전을 영원한 현재진행형으로 남겼습니다."

학생 여러분들에게 필요한 비전은 무엇일까요? 헬렌 켈러는 "맹인으로 태어난 것보다 더 불행한 것이 무엇이냐?"라는 물음에 "시력은 있되 비전이 없는 것이다."라고 말했다고 합니다. 삶을 살아가는 데 있어 비전이 매우 중요하다는 것을 알면서도 대부분의 사람들은 확실한 비전을 갖고 있지 않은 것이 문제입니다. 성공한 사람들은 분명한 자기비전을 가지고 있다고 합니다. 이렇듯 비전은 내 삶의 방향을 명확하게 해주며 성공으로 나아가게 하는 인생의 나침반인 동시에 열정을 불러일으켜 줍니다. 비전은 곧 나를 움직이게 하는 근원적인 힘이고 내 성공의 지렛대 역할을 하는 것입니다. 비전이 명확할 때 우리가 원하는 꿈을 이룰 성공확률은 더 높아진다는 것을 꼭 명심하시기 바랍니다.

Ⅴ. 주인의식

1. 청결·윤리 교육 교재	2. 우리 사주제 도입	3. 제2의 제철소를 우리의 손으로…
8. 자주 관리제	**Ⅴ. 주인의식**	4. 유령 노동자
7. 불량 와이셔츠	6. 쇳물보다 먼저 나온 사보 〈쇳물〉	5. 기술 우선의 직원연수

주인의식이란 구성원들이 주인의 입장에서 생각하고 주인과 같이 행동함을 의미하는 것입니다. 구성원들이 일터에서 마치 내 일같이 알아서 모든 일을 척척 해낼 수 있도록 주인의식을 갖게 하는 것은 여간 어려운 일이 아닙니다. 직장인을 예로 든다면 무조건 회사에 대하여 불평하지 말고 시키는 일에 충실하게 임하도록 요구할 것이 아니라 그들 자신들이 일에 대하여 스스로 주인의식을 갖도록 해 주어야 합니다. 자신이 스스로 일을 관리할 수 있게 하고 부족한 점을 보완해 나갈 수 있도록 해야 합니다. 윗사람은 아랫사람을 인격체로 존중해 줌으로써 자신의 존재감을 느끼게 하고 자신이 하는 일이 가치 있다고 생각되게 할 때 비로소 주인의식을 갖게 됩니다.

"얘, 넌 왜 대충 청소하지 않고, 그렇게 땀을 뻘뻘 흘리며 교실 바닥을 닦는 거니?"

"여기 우리 교실이야. 당연히 우리가 깨끗이 해야지! 넌 너희 집도 대충 청소하니?"

"얘 좀 봐. 내 집은 당연히 깨끗이 청소하지. 누가 자기 집을 그렇게 한대?"

"넌 주인의식이 뭔지도 몰라? 우리 교실의 주인은 바로 우리들이라구!"

바로 그것입니다. 우리들이 사용한 교실이니까 당연히 우리가 주인입니다. 다른 반 친구들이 오면 왜 남의 교실에 들어왔느냐고 따집니다. 그 친구는 분명 우리 교실의 주인이 아니기 때문에 그런 말을 합니다. 그런데 왜 우리 교실을 우리가 깨끗이 청소하지 않으려 할까요? 그것은 주인의식이 희박하기 때문입니다.

주인의식이 강한 사람은 교실 청소만 잘하는 것이 아닙니다. 교실의 전깃불을 잘 끄고, 공동으로 쓰는 모든 물건도 아끼며 알뜰하게 보살핍니다.

시장에서 호떡을 만들어 파는 아주머니가 있었습니다. 아주머니는 호떡을 정성껏 만들어 팔았기 때문에 늘 손님들이 줄을 서서 기다리곤 하였습니다.

"조금만 기다려주세요. 곧 만들어집니다!"

어서 빨리 해달라고 자꾸 치근거리는 손님이라도 항상 친절하게 대해 주었습니다. 행여나 맛에 불평하는 사람이 있으면 호떡 값을 돌려주었습니다.

아주머니는 혼자서 하기에는 너무 힘이 들어 가까운 곳에 제2호점 호떡집을 다시 마련하였습니다. 젊은 직원을 채용하여 호떡 만드는 법을 자세히 가르쳐 주었습니다. 그 직원은 솜씨가 좋아 금세 자기만큼 맛있는 호떡을 만들었습니다.

두 번째 호떡집 문을 열고 장사를 시작하자 손님들이 그 집에도 역시 줄을 서는 것이었습니다. 그런데 언제부터인지 사람들이 자기가 하는 호떡집으로 모여들었습니다.

"거 참 이상하네. 내가 맛을 봐도 똑같은데 왜 그럴까?"

주인아주머니는 정말 그 이유를 알 수가 없었습니다.

"우리 서로 집을 바꾸어서 일해 봐요."

주인 아주머니는 제2호점으로 가고, 직원을 1호점으로 보내 바꾸어 장사를 해보았습니다. 그런데 이번에는 그 반대의 일이 일어났습니다. 주인 아주머니가 하는 제2호점 앞으로 사람들이 모여드는 것이었습니다. 주인아주머니는 그 이유를 알 수가 없었습니다. 곰곰이 생각하고 또 생각했습니다.

포철교육재단의 초등학교가 자체 개발한 청결 · 환경 · 윤리교육 교재
출판기념회(1990.9.19.)

진학종님의 전시회 축사 모습

늘 강조하던 글

포스코 교육재단 발행 교재 모음

1. 청결 · 윤리 교육 교재

"얘들아, 공부 시작할까? 깨끗한 생활 책을 꺼내주세요!"

"네, 선생님!"

1학년 학생들이 '깨끗한 생활'이라는 책을 책상 속에서 꺼내기도 하고, 어떤 학생은 뒤편 사물함으로 가서 꺼내오기도 하였습니다.

책 표지에 '깨끗한 생활' '1학년' '제철학원' 이렇게 인쇄되어 있었습니다. '깨끗한 생활'은 '제철학원'이 심혈을 기울여 만든 교과서였습니다. 초등학교 1 · 2학년은 교과목 중 통합교과의 성격을 띤 교과서로서 사회와 도덕을 통합한 '바른생활', 음악, 미술, 체육을 통합한 '즐거운 생활', 과학교과의 성격을 띤 '슬기로운 생활'이었습니다. 이에 버금가는 교과서가 바로 '깨끗한 생활'입니다. 즉, 초등학교의 모든 교과서는 교육부에서 만든 국정교과서인데, 이 '깨끗한 생활'은 처음으로 교육부 외 기관에서 개발하여 검인정교과서로 인정을 받았습니다.

제철학원 소속인 포항 지역 2개 초등학교, 광양 지역 2개 초등학교는 '깨끗한 생활' 시간을 별도로 정해서 이 책으로 공부해야 했습니다. 이와는 별도로 '가정생활'이라는 교재도 있었지만, 그것은 직접 교실에서 배우는 것이 아니라 가정교육용이었습니다.

이를 통틀어 '청결 · 윤리 교재'라 하여 교육당국의 검인정까지 받아 버젓한 교과목으로 가르쳤습니다. 이것의 발단은 박태준으로부터 시작되었습니다.

1989년 7월 24일, 박태준은 제철학원의 4개 초등학교 교장들에게 다음과 같은 편지를 보냈습니다.

> "환경보전과 위생, 청결 문제가 인류 생활이나 나라의 선진화의 기본이 된다오. 우리 학교에 특징적인 교안(교재)을 작성해 보도록 연구해 주시고, 가정교육(윤리 도덕 중심)의 지도서도 한번 시도해 보도록 검토해 주시기 바랍니다."

평소 회사에서도 깨끗하고 바른 정리 정돈을 강조해온 그는 초등학교 시절부터 청결과 윤리 교육을 강화해야 한다고 생각하였습니다. 이 편지를 받고 4개 초등학교가 합동으로 청결 · 윤리교재 개발위원회를 발족하여 그 임무를 수행하게 되었습니다.

다음은 박태준이 '청결 및 윤리 교육 교재를 발간하면서'에 남긴 글의 일부분입니다. 이 글을 통해서 청결 및 윤리 교육 교재를 발간하는 깊은 뜻을 찾을 수 있습니다.

"내 몸을 깨끗이 하고 또한 옷차림이나 몸가짐을 단정히 하면 저절로 자기 주변을 깨끗이 하게 되고 정리 정돈하는 태도가 길러지게 됩니다. 모든 일의 마무리를 잘 하게 된다고 생각합니다. 이런 생활이 몸에 배면 자연스럽게 정성을 다하는 마음, 깨끗하고 아름다운 마음, 그리고 남에게 피해를 주지 않는 마음이 싹트게 되는데 이것이 청결 생활의 결과이면서 또한 예절의 바탕이 된다고 생각합니다.

이런 관점에서 금번 제철학원에서 펴내는 청결 · 윤리 교육 교재는 청결의식과 도덕성의 회복을 돕는 데 역점을 두고 있습니다."

2. 우리 사주제 도입

우리 사주제도는 '우리 회사 주식 소유제도'의 줄임말입니다. 근로자가 자신이 근무하는 회사의 주식을 사고팔거나 보유할 수 있도록 하는 종업원 주식소유제도 또는 종업원주식제도를 말합니다.

기업이 잘되면 사원 자신의 주식 가격이 올라 실제적 이익이 됩니다. 회사원들은 회사가 자신의 것이란 주인의식을 갖고 일을 더 열심히 하여 회사발전에 기여하게 됩니다. 또 하나는 경영권 안정 효과입니다. 기업 사냥꾼이 기업을 인수 ·

합병하겠다고 위협할 때, 우리 사주는 현재 지배주주에게 힘을 실어주어 위험으로부터 기업을 구할 수 있습니다.

"포항제철은 우리 사주제도를 도입하려 하니 검토해 주십시오."

1985년에 박태준은 발행 주식의 20%를 사원에게 주는 '사원지주제' 도입을 정부에 건의했으나 거절당했습니다.

세계 철강 업계에서 가장 신용도 높은 우량기업의 국제적인 공신력과 신뢰도를 지속적으로 유지시키며, 국가 기간산업을 특정인이나 특정 기업의 소유가 아닌 국민적 기업으로 유지시킨다는 이유였습니다.

그런데 박태준이 그토록 우려하던 일이 벌어지고 말았습니다. 1987년 3월에 재무장관이 느닷없이 포항제철 주식을 매각하겠다고 발표하였습니다.

"과열된 증시 안정을 위해 포항제철 주식을 장외시장에서 입찰 방식으로 매각하겠다."

즉각 몇몇 재벌이 군침을 흘리며 달려들었습니다. 포항제철을 손아귀에 넣는 기업은 곧바로 한국 재계 1위가 될 수 있었습니다.

"선열의 피로 만든 회사야. 정치 논리에 따라 통째로 먹히는 일은 막아야 해."

박태준은 특단의 방법을 강구해야 했습니다. 정부와 상대하는 매우 위험한 싸움이었습니다. 홍보라인의 임원들이 맨 먼저 언론사로 뛰어갔습니다. 언론사를 일일이 찾아다니며 포항제철의 어려운 처지와 한국 경제에 미칠 악영향을 호소했습니다. 다행히 언론이 포항제철 편을 들어주었습니다. 민족기업인 포항제철을 지키는 데 언론이 앞장서 주었습니다.

하루는 재무부 공보관이 포항제철에 전화를 걸어왔습니다.

"조용히 있어라. 안 그러면 다친다."

포항제철도 가만히 있지 않았습니다. 홍보 책임자는 맞섰습니다.

"당신이 건 전화 내용까지 모두 언론에 공개하겠다."

결국 재무부는 한 달 만에 꼬리를 내렸습니다. 포항제철을 투명하게 공개한다는 방침에 따라 포항제철 주식은 1988년 6월에 국민주로 상장됐습니다. 사원에게는 10%인 약 920만 주가 돌아갔습니다.

이후 포항제철 주식은 가격이 천정부지로 뛰며 점점 가치가 높아졌습니다.

박태준은 회사를 일으켜 세운 직원들의 노고를 누구보다 잘 알고 있었기에 이와 같은 일을 앞장서서 추진했던 것입니다.

3. 제2의 제철소를 우리의 손으로…

"제2의 제철소는 반드시 우리의 손으로 지어야 하오."

박태준은 포항제철 제4기 확장공사를 기필코 우리의 손으로 짓고자 하였습니다. 그동안 제3기 확장공사까지는 외국 기술자들의 도움이 컸습니다. 초기에는 제철소 건설의 기초 기술조차 없는 처지라서 당연히 외국 기술자들이 주도적인 역할을 할 수밖에 없었습니다. 박태준은 그 점을 인정하지 않을 수 없었습니다.

하지만 우선 손쉽고 편하다고만 하여 외국 기술자들에게 계속 의존하다 보면 결국 우리 자체적인 기술을 확보하지 못해 기술의 식민화를 극복할 수 없을 것이라 생각하였습니다. 제철보국의 이념은 단지 철을 생산하여 국가경제에 도움을 주는 것만으로 끝낼 문제가 아니었습니다. 언젠가는 우리도 우리 손으로 제철소를 건설할 수 있는 우수한 인재들을 길러내는 것도 제철보국의 큰 발걸음이라 생각하였습니다.

박태준은 제철소 건설 초기부터 기술 연수 프로그램을 과감하게 추진하였습니다. 공장 지을 돈이 언제 마련될지도 모르는 상태에서 기술연수를 시작하는 것은 무모하고 어리석게 보일 수도 있었습니다. 기술 연수를 위해 직원들을 외국으로 보낼 때마다 다음과 같이 간절하게 말하였습니다.

"여러분, KISA(대한국제제철차관단)는 우리 정부를 향해 공장이 완공되면 공장 가동을 원활하게 하기 위해 초기 몇 년간은 외국 전문기술단과 운영 계약을 해서 공장관리와 직원들의 기술교육을 맡기라고 했습니다. 이것은 무슨 의미입니까? 그것은 곧 외국 기술자들이 우리 위에 올라앉아 우리의 회사를 그들의 마음대로 좌지우지한다는 것입니다.

그리고 그들이 핵심기술을 틀어쥐고 제대로 가르쳐 주지 않으면 어떻게 됩니까? 이것은 바로 기술 식민지가 되는 것입니다. 우리는 그들의 종노릇을 하면서 그들의 배만 불려 주게 됩니다. 그렇게 되면 제철소는 만드나 마나입니다.

여러분, 우리가 지긋지긋한 가난을 물리치고 정말 잘살게 되려면 우리 제철소가 가동되는 그 순간부터 우리들의 손으로 직접 공장을 돌릴 수 있게 미리미리 모든 기술을 배워 두어야 합니다."

3기 설비 종합 준공식이 끝난 뒤에는 일본 기술단도 보따리를 꾸려 본국으로 돌아갔습니다. 제철 기술의 식민지를 극복하려고 과감한 해외연수와 기술개발에 투자해온 포항제철은 이제 기술독립의 기반을 확고히 다져야 할 차례가 되었습니다. 기술독립을 바탕으로 세계 최고 제철기술을 확보한다는 더 큰 목표를 향해 나아갈 수 있어야 했습니다.

10년 가까이 영일만에 머물렀던 일본 기술단은 떠나면서 한

마디 하였습니다.

"모든 역경을 딛고 포항제철은 단기간에 일본 제철소에 버금가는 대규모 선진 제철소를 건설하는 데 성공했다. 이 회사가 4기 확장을 마칠 때면 아마도 생산능력과 시설 면에서 세계 최고가 될 것이다. 포항제철의 잠재능력은 경영정보시스템, 정비관리센터 등 독창적인 조직에 기인한다. 고급 인력과 최고 경영자의 탁월한 경영능력이 합쳐져 포항제철은 머지않아 세계 최고가 될 것이다."

4. 유령 노동자

건설현장에서는 누구나 다 똑같은 유니폼을 입고 다녔습니다. 현장 규모가 워낙 큰 데다 많은 인원이 한꺼번에 일하고 있었습니다. 현장에서 일하는 사람이 몇 명이 되는지, 누가 어디에서 언제부터 일하고 있는지도 정확하게 가려낼 수가 없었습니다.

1978년 6월, 아침 8시 회의에 참석하러 가던 박태준은 갑자기 방향을 바꿔 건설현장을 찾아갔습니다. 현장소장은 없었고, 반장이 대략적인 인원을 보고했습니다. 당시 비서과장이 동행해 보고 사항을 기록하고 있었습니다. 8시 회의 시간에 현장소장이 헐레벌떡 뛰어왔습니다. 그는 박태준이 아침 일찍 현장에 다녀온 사실을 전혀 모르고 있었습니다. 박태준은 그런 그에게 물었습니다.

"오늘 현장 인원이 몇 명인가요?"

"875명입니다."

"그 많은 인원을 어떻게 확인하나요?"

"작업 인원들이 날마다 일당을 받기 위해 이름을 적기 때문에 쉽게 파악할 수 있습니다."

"보고 내용에 책임질 수 있나요?"

"현장에 가서 직접 확인했고, 책임질 수 있습니다."

"내가 조금 전에 다녀왔어요. 대체 몇 명이 일하고 있는지 정확히 말해 봐요."

현장소장의 얼굴이 순간 하얘졌습니다. 거짓말이 들통났기 때문이었습니다.

그날 이후 모든 건설현장의 인원을 5일 동안 전면 재조사하도록 지시했습니다. 그런데 조사 결과가 분명하게 나오지 않았습니다. 사람 수가 계속 틀렸습니다. 직원들은 이상하다 생각했습니다.

박태준은 새로운 지시를 내렸습니다. 전체 공장을 포위한 후 한 명도 빼놓지 말고 사람 수를 조사하라고 했습니다. 그러자 정확한 결과가 나왔습니다. 이쪽에서 조사를 하면 다른 현장에 있던 인부들이 여기저기서 몰려왔습니다. 서로 돌려가면서 '인원 메우기'를 했던 것입니다. 하지만 결국 박태준 사장의 '군사작전'에 모두 들통나고 말았습니다.

박태준은 그들을 '유령'이라 불렀습니다. 시공회사 책임자로부터 20%의 작업 인원 조작이 있었다는 실토를 받아냈습니다. 자재와 인력이 충분했음에도 예정 공사기간을 따라가지 못했던 이유가 밝혀졌습니다.

박태준은 이렇게 공사 현장을 누비며 경비 절감과 공사기간 단축 과정을 점검하고 작업을 이끌었습니다. 이런 과정을 거치며 제3기 공사는 1978년 12월에 완공되었습니다.

무려 5개월이나 공사기간을 단축한 셈입니다. 덕분에 포항제철은 5천만 달러를 줄일 수 있었습니다. 그 결과 톤당 건설 단가가 대만 제철소 667달러, 오키시마 제철소 626달러인데 포항제철은 469달러였습니다. 이것은 경쟁사보다 30% 저렴한 단가였습니다.

5. 기술 우선의 직원연수

"무슨 수를 쓰든 하나도 빼놓지 말고 다 배워오라. 연수 규정에 어긋나는 일이라면 그 규정까지 어겨도 좋다."

해외연수를 떠나는 직원들에게 박태준은 비장한 목소리로 당부했습니다.

초창기의 포항제철은 자금이 턱없이 부족했습니다. 그래도 박태준은 무모해 보일 만큼 과감하게 기술연수에 투자했습니다. '우리는 할 수 있다', '포항제철은 된다'는 신념을 불어넣으려면 기술력 확보가 무엇보다 급선무라는 생각 때문이었습니다. 단기적 목표는 첫 가동 단계부터 우리 손으로 돌리자는 것, 장기적으론 기술 식민지를 극복하고 세계 최고기술을 보유하자는 것이 목표였습니다.

박태준이 그렇게 절실한 심정으로 기술을 보유하고자 하는 데는 그만한 이유가 있었습니다. 대한국제제철차관단(KISA)은 차관 제공에 대한 확답도 없이 무리한 요구만 먼저 해왔기 때문이었습니다.

"초기 몇 년 동안은 외국 전문기술 용역단과 공장 운영계약을 맺으시오."

박태준은 포항제철을 얕잡아보는 주제넘은 간섭이라 여겼습니다. 그는 오히려 그들의 요구와 정반대로 나갔습니다.

1968년 10월 최우선 순위로 '제철연수원'을 착공해 이듬해 1월 완공했습니다. 1968년 11월 아홉 명을 일본 가와사키제철소로 파견한 것을 시작으로 1972년까지 600명이 일본 · 서독 · 호주 등 철강 선진국에 기술연수를 다녀왔습니다. 그때 돈으로 500만 달러나 들었습니다.

연수생들에겐 일화가 많았습니다. 안 보여주는 도면을 보려고 상대를 술자리로 유인하거나, 못 들어가게 하는 공장에 기막힌 기지를 발휘해 들어가기도 했습니다.

"산업스파이나 된 것처럼 얼마나 가슴 조이고 스릴 넘치는 일이었다구요!"

연수생들이 귀국하면 그들에게 연수 결과를 확인하였습니다.

"고생 많았소. 연수 결과를 다른 직원들에게 전수할 수 있도록 하시오."

연수를 끝내고 귀국한 연수생들은 내부 연수 프로그램을 작성하였습니다. 일본에서 가져온 자료, 기술사양서, 기타 정보들은 포항제철 연수 자료와 작업 매뉴얼로 번역되어 사용되었습니다. 새로 습득한 지식과 기술을 동료들에게 전수하였습니다. 그 결과 회사에서는 전체적으로 정보연계 사슬이 형성되어 학습 능력이 놀랄 만큼 신장되었습니다.

기술력이 쌓이고 제품의 질이 높아지자 포항제철 직원들은 자신감이 붙었습니다. 광양제철소는 레이아웃부터 완공까지 포항제철의 기술력이 집대성되었습니다.

그 저력 위에 포항제철은 1992년부터 파이넥스 공법 개발 연구에 몰입했습니다. 마침내 2004년 8월 포항제철은 세계 최초로 포항제철소에 150만t 생산 규모의 파이넥스 설비 공사에 들어갔습니다. '기술 우선=포항제철'의 전통을 세우고야 말았습니다.

다른 기업들도 포항제철을 보면서 직원 교육의 중요성에 눈을 뜨게 되었고 포항제철 연수프로그램을 모델로 삼았습니다.

6. 쇳물보다 먼저 나온 사보 〈쇳물〉

1971년 4월 포항제철은 창립 3주년에 사보 〈쇳물〉 창간호를 발행하게 되었습니다.

박태준은 편집자로부터 창간호에 기념 휘호를 넣겠다며 써 달라고 청탁을 받았습니다. 전투 현장의 지휘관이나 다름없는 처지였으니 '먹 갈고 붓 잡을' 여유가 있을 리 없어 만년필로 써 주었습니다.

"무엇이든 첫째가 됩시다."

박태준은 포항제철 직원들이 스스로 '세계 최고'이기를 고집하는 마음을 담았습니다. 또한 박태준은 사보의 역할과 기능이 궁극적으로 '과업 달성에 선용'되기 위해 다수 직원의 의견이 응축된 미디어가 되어야 한다는 기본 방향을 제시하였습니다.

경영 정보의 신속하고 정확한 전달과 일체감을 형성하고 사내 커뮤니케이션을 활성화시키기 위하여 사보 〈쇳물〉을 창간하였습니다. 사륙배판에 전체 20면으로 발간된 〈쇳물〉은 일관제철소 건설 상황과 조업 실적을 생생하게 전달했습니다.

사보는 단순히 회사 내 직원들끼리 정보를 공유하고, 회사 지침이나 계획을 전달하는 역할만 하는 게 아니었습니다. '회사의 이름으로 고객들에게 전하는 메시지이자, 함께 호흡하고자 하는 노력'이었습니다.

"외부 고객들에게 전달되는 사보로 우리가 갖고 있는 자산과 브랜드를 뽐낼 수 있었고, 이를 통해 브랜드 호감도를 높이는 역할을 했습니다."

포항제철은 〈쇳물〉지만 발행한 것은 아니었습니다. 1980년 4월에는 현장 직원들의 자주관리활동을 소개하고 공유하기 위해 타블로이드판 4면의 〈자주관리〉를 창간했습니다. 1972년 하반기부터 회사 소식을 신속히 전파하고 직원들의 일체감 조성에 기여하기 위해 사내 뉴스, 음악 프로그램으로 구성된 라디오 방송도 시작했습니다. 이후 시각적으로 더 풍부한 정보를 제공할 수 있는 TV 방송의 필요성이 대두되자 1987년 4월 1일 포항 본사에서부터 PBN(POSCO Broadcasting Network)이 사내 TV 방송을 개시했습니다. 이렇듯 포항제철은 직원들 간의 정보 공유와 더불어 외부와의 소통을 위해 다양한 네트워크를 운영하였습니다.

〈쇳물〉은 1971년부터 1997년까지 309권이나 발간하다가 〈포스코 신문〉에 자리를 양보하였습니다. 〈포스코 신문〉은 우리나라에서 양적으로나 질적으로 가장 대표적인 사보 신문이었습니다.

1994년 발간된 포스코 신문은 주간으로 나오는 신문이었습니다. 찍어내는 부수만 평균 9만 부. 1면부터 24면까지 포스코 내 각종 소식, 철강과 관련한 국내외 업계 동향, 사업장이 있는 경북 포항과 전남 광양 지역 소식 등이 빼곡하게 실렸습니다. 웹진으로 전환되면서 폐간된 2017년 7월 말까지 9,700만 부 가량 발행했습니다.

"매주 목요일 단 한 번도 빠지지 않고 꾸준하게 회사의 역사를 담았다고 자부합니다."

담당했던 직원의 이 한마디는 직원들의 업무 태도 속에 철두철미했던 박태준의 신념이 그대로 담겨 있는 것만 같습니다.

7. 불량 와이셔츠

박태준은 어느 날 한 와이셔츠 공장 사장을 만나 이런 말을 하였습니다.

"사장님의 공장 직원들에게 목욕을 자주 하고 내의를 깨끗이 입으라고 하십시오."

"그게 무슨 말씀인지요?"

"그리 된다면 당신네 와이셔츠 제품 품질이 크게 향상될 것입니다."

그 사장은 박태준이 말하는 의도를 곰곰이 생각하는 눈치였습니다.

박태준이 와이셔츠 공장 사장에게 한 말은 그 나름 이유가 있었습니다.

박태준은 우리나라 상품이 많이 수출되는 어느 외국 도시의 백화점에 들른 적이 있습니다. 약간의 시간 여유가 있어서 그 백화점을 8층까지 자세히 살펴보았으나, 이상하게도 진열장에 우리 상품은 하나도 눈에 띄지 않았습니다.

"대한민국 상품은 없습니까?"

직원에게 물었더니, 그 직원은 미안해하는 얼굴로 한국산 와이셔츠 한 장을 꺼내 보여 주었습니다. 직원이 지적한 곳을 살펴보니, 바느질한 실밥 간격이 일정하지 않고 소매가 맞지 않았습니다.

'아이고, 이래 가지고서야 어찌 이런 국제시장에서 경쟁할 수 있단 말인가?'

비록 포항제철이 만든 철은 아니었지만, 불량품이나 다름없는 와이셔츠를 보고 자기가 만든 제품이라도 되는 양 부끄러움이 앞섰습니다. 그래서 차라리 자기가 사 버리는 것이 낫겠다 싫었습니다. 박태준의 주인의식이 발동한 것이었습니다.

"그 와이셔츠 내가 사겠소. 싸 주시지요."

직원은 의외라는 표정을 지으면서도 와이셔츠를 단정하게 포장해 주었습니다. 박태준이 가진 품질 지상주의의 단면을 보여주는 이야기 한 토막이었습니다.

박태준은 개인의 청결뿐만 아니라 회사의 청결도 매우 강조하였습니다.

"먼저 목욕을 자주 하시오. 그리고 공장을 내 집처럼 청결하게 하시오."

박태준의 목욕론은 단지 개인의 청결만을 위한 것이 아니라 주인의식을 강조한 말이었습니다. 자기 몸은 자기가 주인입니다. 주인 된 입장에서는 당연히 자기 몸을 소중하게 할 것입니다. 그래서 깨끗이 목욕도 하고 좋은 옷을 입으려고 합니다.

항상 자기 몸을 깨끗이 하는 사람은 회사에서 제품을 만들 때도 자기를 깨끗이 하듯 불량품이 나오지 않도록 정성을 다할 것입니다. 박태준은 바로 자기 몸의 주인이 자신이듯, 회사의 주인도 자기임을 깨닫게 하기 위하여 목욕론을 강조한 것입니다.

"국제 시장에서 소비자의 눈은 차가울 만큼 엄격합니다."

99.9%까지 완전하고 0.1%의 끝마무리가 시원치 않으면 나쁜 품질로 처리하고 반품을 요구해 옵니다. 애써 만들어 보낸

제품이 반품되어 올 때의 그 손해는 결국 회사를 어렵게 만들게 됩니다. 품질 향상을 위하여 새로운 과학 기술과 관리 방법이 활용되고 있지만, 박태준은 그 이전에 자기 몸가짐을 단정하게 가지는 것이 최고의 제품을 만들 수 있는 지름길이라고 확신하였습니다.

8. 자주관리제

포항제철은 4기 공사가 이루어지고 있는 1979년, 회사는 이미 550만 톤 체제에 이르러 그 관리 범위가 방대해졌습니다. 박태준은 성공에 대한 자신감과 경험도 축적된 조직이기에 자율경영, 자주 관리시스템을 정착시킬 적기라고 판단했습니다. '자신의 현장을 스스로 책임지고 관리하는 활동을 자연스럽게 조직문화화하는 것이 필요하다'는 판단 아래 박태준은 '자주관리제도' 운동을 진개하였습니다.

"인간은 본래부터 규제나 통제를 받기보다는 자율적, 자주적으로 행동하기를 원합니다. 그러나 자율과 자주를 얻기 위해서는 혼자서 능히 행동할 수 있는 능력, 즉 기능과 지식, 체력 및 정신을 갖추어야 합니다. 이러한 자율정신과 자주능력이 결여되어 있을 때는 부득이 규제와 통제가 가해지고 그 결과 조직이 경직화되는 악순환이 거듭되는 것입니다. 그러므로 이러한 규제와 통제는 일시적인 방편으로만 사용되어야 하는 것이며, 이러한 상황을 해결하는 최선의 방안은 자율정신과 자주능력을 배양하는 길뿐입니다."

박태준은 회사 사장의 지적과 추궁으로 움직이는 기업이 아니라 구성원 스스로 책임지고 운영할 수 있는 조직 문화를 만들고, 늘어난 관리 범위 문제를 조직문화로 해결하려고 하였습니다.

"그 어느 때보다 자주관리 운동이 우리 사원들의 자발적, 주체적 동참 속에서 이루어져야 합니다. 늘 강조했지만 자주관리 운동은 자기계발과 상호계발을 행하여 분임조원 개개인의 성장을 도모하고 인간성을 존중하여 생기 있고 활력 있는 직장분위기를 만들며 상사의 방침을 달성하고 회사의 영속적인 발전에 기여하는 운동입니다.

4월 24일 제강 사고와 그것을 극복하는 과정에서 건진 뼈아픈 경험을 성찰하면서 정신무장을 새롭게 하지 않으면 안 됩니다."

자주관리 운동 매뉴얼을 제정하여 배포했고 부서마다 자주관리 활동 발표회를 열었으며 모든 부서가 참가하는 자주관리 촉진대회와 전시회를 개최하는 등 기업 문화로서 자주관리를 정착시켜 나아갔습니다.

자주관리제는 1973년 11월 처음 도입하였으며 1974년, 1975

년 두 해 동안 적용단계를 거친 후 1976년부터 '자주관리 능력의 확충'을 회사 운영목표에 포함하였습니다.

1978년도부터는 두 분기마다 자주관리 경진대회를 개최할 정도로 직원들의 자주적 활동을 중시하고 자주관리를 하나의 회사 문화로 만들고자 노력하였습니다.

"본인은 자주관리에 대해서 신앙적 확신을 가지고 있습니다. 규제와 다른 사람에 의해서만 움직이는 인간성을 버리고, 일을 통하여 자아성장과 자아실현을 추구해 나가는 탐구적 인간성으로 승화시키자는 것이 바로 본인의 자주관리 이념입니다. 여러분, 우리 모두 자주관리의 성공을 통해 주체적 인간으로서의 지각을 기르고 일하는 보람을 찾으며 인간의 능력을 발휘하여 무한한 가능성에 도전하는 기쁨을 함께 성취해 나갑시다."

박태준은 자주관리제를 통해 주인의식이 더욱 고취될 것으로 확신하였습니다.

주인의식에 대하여

주인의식이란 해야 하는 일을 자기 것으로 인식하고 주인처럼 생각하는 것을 말합니다.

주인의식이 있는 사람은 새로운 일을 만들어 내는 사람이기에 주인의식은 매우 중요한 것이라 할 수 있습니다. 이러한 마음이 있는 사람은 더 잘하기 위해서 그리고 더 의미 있는 일을 만들기 위해서 노력하기 때문입니다. 주인의식을 가지라는 충고를 들을 때면 반발적으로 튀어나오는 말이 있습니다. "내가 회사 주인도 아닌데 무슨 주인의식을 가지라는 건지 모르겠어……." 주인은 당연히 주인의식을 가지겠지만, 주인이 아닌 사람에게 주인의식은 어떤 의미가 있을까요? 직원들은 자신이 하는 일이 얼마나 의미 있는 일이며, 기업의 비전과 목표 달성에 자신이 어떻게 기여하는지 알아야 주인의식을 발휘합니다. 예를 들어 비행기 승무원의 업무를 '승객들에게 안전에 관한 지침을 전달하고, 식사와 음료를 제공하는 것'이라고 행동 중심으로 부여하게 되면, 승무원들은 자신들을 단순 동작을 반복하는 기계의 부속품처럼 느껴 수동적으로 행동하게 됩니다. 반면에 그들의 업무를 '승객들을 안전하고, 편안하고, 만족스럽게 모시는 것'이라고 목적 중심으로 부여하게 되면, 그들은 주인 의식을 가지고 자율적이고 능동적으로 행동하게 됩니다. 경쟁력이 있는 기업은 바로 이와 같은 주인의식을 가진 직원, 즉 '주인'이 많습니다. 그래서 경영자들은 늘 주인의식을 강조하며 직원들이 주인의식을 갖도록 여러 가지 여건과 분위기를 만들어 줘야 합니다.

박태준은 포스코 건설 당시 구성원들에게 이러한 주인의식을 갖도록 당부하기 위해서 다음과 같이 강조하였습니다.

"누구든지 포스코에서 일하고자 들어온 이상 포스코가 가지고 있는 모든 질서 내지는 규칙을 자기 스스로 잘 지켜나가면서, 과연 이 커다란 조직의 테두리 속에서 자기가 해야 할 바가 무엇이며, 조직사회의 일원으로서 주인의식을 가지고 자신이 어떠한 행동을 할 것인가 하는 것을 스스로 정할 수 있어야 할 것입니다."

학생 여러분들도 학교생활에서 주인의식을 갖고 주인임을 행사하는 행동을 한다면 선생님들과 친구들에게 인정받으면서 성장하는 사람이 될 것입니다. 또한 친구들과의 관계에 있어서도 서로 신뢰하고 신뢰받으며 더욱 행복한 학교생활을 할 수 있는 비결이 될 것입니다. 언제 어디에서든지 '주인의식'을 갖고 생각하고 행동하는 것을 잊지 말기 바랍니다.

Ⅵ. 동기부여

1. 사원주택 건설이 우선	2. 솔선수범이 만든 아찔한 사진	3. 꽃 피는 팔도강산
8. 최고의 교육으로 교육보국을…	Ⅵ. 동기부여	4. 최고의 유치원에서 최고의 대학까지
7. 내 몸이 깨끗해야	6. 지금부터 비상태세	5. '쇳물'은 쏟았지만

동기부여란 '움직이게 하다'라는 의미로서 사람들이 목표를 향하여 자발적으로 행동할 수 있게 하는 것을 말합니다. 다시 말하면 어떤 사람으로 하여금 긍정적으로 스스로 하고자 하는 마음이 생기도록 하고 이런 마음이 일에 대한 바람직한 행동으로 나타나게 하며 그 행동이 지속될 수 있도록 하는 것을 말합니다. 그래서 동기부여된 상태를 논리적으로 분명히 설명할 수는 없지만 "어쩐지 신바람이 난다"라는 의미라고 할 수 있겠습니다. 사람들에게 신바람 나는 분위기를 만들어 준다면 공부하는 학생은 학업에 대한 능률이 올라갈 것이고, 일하는 사람은 일에 대한 성과가 올라갈 것입니다.

예를 들면 담임선생님께서 이렇게 말하는 경우가 있습니다.

"우리 반이 학년 축구대회에서 일등을 하면 피자를 사 주겠다.”

그러면 학급 친구들은 “얏호!” 함성을 지르며 기뻐합니다. 그러고는 곧 친구들끼리 축구를 잘하는 사람들을 선정하고, 어떻게 훈련하고, 어떻게 작전을 전개할 것인지 한마음 한뜻으로 힘을 모아 열심히 연습을 하게 됩니다. 이런 경우 한 집단에게 동기부여가 잘 되었다고 할 수 있습니다.

또 부모님께서 자녀들에게 이렇게도 말씀하십니다.

“우리 집안은 원래 공부를 잘하는 집안이야. 너 역시 공부를 잘할 거야. 공부 열심히 하여 장차 꼭 집안을 빛내주는 사람이 되기 바란다.”

그 이야기를 듣고 그 자녀가 열심히 공부하고 있다면, 이는 한 개인에게 동기부여가 잘 되었다고 할 수 있습니다.

담임 선생님의 동기부여가 피자를 사 주겠다는 물질적 보상이었다면, 부모님의 동기부여는 정신적인 보상을 통해 동기부여를 한 것으로 약간의 차이가 있습니다.

동기부여는 오직 사람에게만 해당되는 것은 아닙니다.

“휘익!”

조련사가 휘파람을 불자 돌고래 한 마리가 공중 높이 솟구쳐 장대 끝에 매달린 훌라후프를 여유롭게 통과하여 풍덩! 물통 속으로 떨어집니다. 물장구가 관중석까지 튀어오자 관중들은 물벼락에 호들갑을 떨면서도 박수 치고 환호성을 지릅니다. 곧이어 조련사가 물고기 한 마리를 바로 입에 넣어줍니다. 이 돌고래는 물고기 보상을 통한 동기부여 방식으로 조련되었습니다.

동기부여는 이렇게 동물들의 훈련에도 요긴하게 활용됩니다. 동물들은 훈련이라 생각하지 않고 단지 맛있는 먹이를 먹기 위해서 반복할 뿐입니다. 이렇게 반복하다 보면 습관이 되어 말을 곧잘 알아듣는 재주꾼이 되는 것입니다.

동기부여와 같게 쓰이는 '동기유발'이라는 말이 있습니다. 이는 학습 시간 도입 부분에서 이루어집니다. 선생님이 어떤 말이나 행동으로 학생들이 수업을 열심히 해야겠다고 마음을 굳게 다짐하게 하는 과정을 말합니다.

포스텍 학생들과 함께

포항 주택단지

광양 주택단지

1. 사원주택 건설이 우선

"뭐? 박태준이 효자지구에 20만 평이나 되는 땅을 샀다고? 제철소 지으라고 했더니 땅 투기하는 거야 뭐야?"

1968년의 일이었습니다. 정부 관료들은 물론이고 언론들도 박태준이 직원 주택부터 짓는다고 못마땅해하였습니다. 제철소보다 땅 투기에 관심이 많다고 야단이었습니다. 하지만 박태준은 자신이 결정한 일을 꾸준히 밀고 나갔습니다.

"최고로 대우해야 최고의 노동력이 나옵니다. 내 집 마련의 꿈을 실현시켜 주어 회사의 애착심을 심어주고자 할 뿐이오. 나는 회사를 내 집처럼 생각하는 그런 사원들을 갖고 싶소. 회사가 성공하려면 사원부터 보살피라는 것이 내 신조요."

포항제철 부지공사가 본격화되면서 건설공사에 필요한 인원들을 대거 채용하여 일 년 사이에 포항의 인구는 40%나 늘어났습니다. 주택과 학교 시설이 부족하여 포항제철 사원들과 가족들이 큰 어려움을 겪고 있었습니다.

"공장 지을 돈도 부족한데 어찌하면 좋겠습니까?"

"내가 지시하는 대로 따르시오."

박태준이 그리 말하였지만 바로 눈앞에 닥친 가장 큰 문제가 예산이었습니다. 당시 회사 재정은 빠듯했고 수익도 전혀 없었습니다. 더구나 외국에서 자금을 빌려오는 차관 교섭이

쉽게 풀릴 것 같지 않았습니다.

박태준은 여러 은행을 찾아다니며 대출을 간청하였습니다. 그러나 은행마다 담보가 없기 때문에 불가능하다는 말만 하였습니다. 그는 착잡한 심정으로 마지막 남은 한일은행을 방문해 하진수 행장을 만났습니다.

"담보가 없기 때문에 규정상 대출할 수가 없습니다만, 박 사장님의 열의를 보니 포항제철은 틀림없이 성공할 것 같습니다. 특별히 도와드리지요. 부탁드리고 싶은 것은 반드시 성공하셔서 우리 손으로 철강을 생산하게 해달라는 것입니다."

한일은행이 신용담보로 대출해 준 20억 원으로 직원들에게 제때 월급을 지급할 수 있었고 사원주택 건설 문제도 해결할 수 있었습니다. 이런 인연으로 한일은행은 현재 우리은행으로 이름이 바뀌었지만 오늘날까지도 포스코의 주거래은행이 되고 있습니다.

박태준은 사원주택 제도를 만들었습니다.

"첫째, 임대주택이나 회사주택이 아닌 사원 개개인에게 소유권을 주기로 하겠소.

둘째, 원하는 사원은 누구나 집을 가질 수 있도록 회사가 장기적으로 낮은 이자로 대출해 주기로 하겠소."

박태준이 바라는 대로 '내 집 마련' 제도는 사원들에게 자부심과 애사심을 높여주었습니다. 또한 가정생활이 안정되면서 직원들은 회사가 자기들을 돌보고 있다고 생각하여 더욱 열심히 일하였습니다.

오늘날 '세계 최고 수준의 사원주택단지'로 꼽히고 있어, '인간의 낙원 같다.' '스위스의 휴양지 같다.'라며 부러움을 사는 사원주택단지는 그렇게 탄생되었으며 여러 나라에서 모델로 삼고 있습니다.

2. 솔선수범이 만든 아찔한 사진

어느 날 박태준은 간부 회의에서 다음과 같이 질문하였습니다.

"어떻게 하면 우리 직원들을 회사를 위해 헌신하는 사람으로 만들 수 있겠소?"

간부들이 여러 가지 좋은 의견들을 말하였습니다. 간부들이 말을 다 마치자 박태준은 마지막으로 다음과 같이 강조하였습니다.

"우리부터 긍지와 사명감을 가지고 일한다면 직원들은 자연스럽게 따라올 것입니다. 즉, 솔선수범이 우선이라고 생각해요. 그러니 여러분들도 솔선수범해 주시기 바랍니다."

박태준은 출장이 없는 날이면 어김없이 현장을 누비고 다녔습니다. 전투 현장을 독려하는 지휘관처럼 지칠 줄 모르고 공장의 구석구석을 찾아다니며 문제점을 찾아냈습니다.

건설 현장은 밤낮이 없었습니다. 공사 기간을 앞당기기 위하여 마지막 인부가 잠자리로 돌아간 밤에도 영일만 앞바다는 늘 깨어 있었습니다. 벌써 200만 톤이 넘는 쇳물을 생산한 제1고로를 비롯하여 일관제철소의 모든 현장이 24시간 내내 눈 깜짝할 틈도 없이 가동되기 때문이었습니다. 그러한 현장을 박태준은 일반 직원들과 똑같이 누비고 다녔습니다.

"아이쿠!"

"앗, 사장님 위험해요!"

높다란 파이프라인 위를 건너다니다 발을 헛디뎌 넘어질 뻔한 아찔한 찰나도 겪었습니다. 그 장면을 카메라맨이 찍어 '아찔한 사진'이라 이름을 붙여 그에게 보내주기도 하였습니다.

"사장님, 현장 지휘 감독은 저희들에게 맡기시고 때때로 좀 쉬십시오."

"전 직원들이 현장에서 불철주야로 저리 고생하는데 나만 혼자 편할 수는 없잖소."

간부 사원들이 한사코 만류해도 박태준은 꿈쩍도 하지 않았습니다. 현장 제일주의, 솔선수범, 이 원칙은 박태준의 삶의 원천이요, 굳건한 신념이었습니다.

박태준은 도쿄에 출장을 가면 꼬박꼬박 들르는 책방에서 구매해 온 제철 기술서적을 늘 머리맡에 두고 살았습니다. 빠른 속도로 책을 읽고, 읽은 다음에는 책을 여러 묶음으로 해체하였습니다.

"제선부장! 이 책 읽어봤어요?"

"아니오. 아직 읽어보지 못했습니다."

"그럼, 읽어봐요!"

이와 같이 다그치며 책을 뜯어서 제강부장, 열연부장 등에게 해당 관련 내용이 담긴 부분을 나누어주었습니다.

박태준은 아랫사람에게 일을 맡기면 본인도 같이 연구했고 그래서 제철 전문가 수준의 지식을 쌓았습니다. 제철 분야에 무엇을 물어봐도 막힘이 없었습니다. 하루 3~4시간 자면서 현장을 사원들과 같이함으로써 모두 잘 따르게 만들었습니다.

3. 꽃 피는 팔도강산

"자네, 요즘 뭐하고 지내는가?"

"포항제철에 다니고 있어."

"아, 대장간에 다닌다고?"

1974년 〈쇳물〉지에 오랜만에 고향을 찾아 초등학교 동창생을 만났다는 한 사원의 이야기가 실렸습니다. 포항제철은 1기 고로 완공 직후인지라 언론에서도 대서특필하는 등 국민적 관심이 높았지만, 여전히 '세계 최고'는커녕 어떤 회사인지 제대로 알려지지도 않고 있었습니다.

그런데 포항제철 이미지를 하루아침에 바꿔놓는 일대 사건이 발생했습니다. 1974년 여름 KBS-TV 드라마 '꽃 피는 팔도강산'이 한창 인기를 누리고 있었습니다. 그 드라마에서 포항제철을 주 무대로 하는 경북 포항 편을 두어 달 동안 방영하게 되었습니다.

배우 문오장 씨가 포항제철 간부사원 역을 맡았고, 윤소정 씨가 그의 부인이자 김희갑 씨의 딸 역으로 출연했습니다.

첫 회가 방영되자마자 한바탕 소동이 벌어졌습니다. 문오장 씨의 콧수염부터 타박 대상이 되었습니다. 직원들의 원성이 한목소리로 핏대를 세웠습니다.

"포항제철 간부 가운데 그런 멋이나 부리는 한심한 작자가 어디 있느냐?"

간부 부인으로 나온 여배우가 사치스러운 옷차림으로 고액권 지폐를 마구 뿌리며 쇼핑하는 모습도 원성의 대상이 되었습니다.

"남편은 뼈 빠지게 고생하는데 지방생활에 권태를 느껴 쇼핑이나 하고 돌아다니는 부인들이 어디 있느냐? 우리를 모독하는 행위다."

이번에는 포항제철 부인회에서도 들고 일어났습니다. 그런 항의를 몽땅 받은 박태준 부인이 남편에게 따지기 시작했습니다.

"작년부터 부인회를 만들어 여가선용 봉사활동 등 좋은 일만 하고 있는데, 손목시계 말고는 다른 액세서리는 착용하지도 않는 수수한 부인들인데, 왜곡이 너무 심하잖아요?"

그런 소동을 거친 뒤 드라마 제작진은 포항제철 가족들의 실생활을 구체적으로 묘사했습니다. 시청률을 의식한 파격적인 장면도 많이 줄어들었습니다. 출연진과 제작진은 가끔 포항제철 영빈관에서 묵으며 피로를 풀었습니다. 그들은 녹음이 우거진 포항제철 주택단지에 찬사를 아끼지 않았습니다.

출연진 중에는 특히 고로 바로 앞에서 일하는 직원 역을 맡은 배우가 큰 고생을 했습니다. 지금은 다 사라진 풍경이지만 그때는 쇳물 도랑에 덮개가 없었습니다. 배우들은 비 오듯 쏟아지는 땀을 식히느라 녹화 도중 수시로 공장 밖으로 나가 쉬었다가 다시 녹화를 하곤 했습니다. 하지만 요즘은 고로공장에서 카나리아도 키우고 열대어도 기를 만큼 기술이 발달했습니다.

'꽃 피는 팔도강산' 덕분에 포항제철은 많은 국민에게 확실한 이미지를 심어주었습니다. 이에 직원들은 더 큰 힘을 얻어 생산에 매진하였습니다.

4. 최고의 유치원에서 최고의 대학까지

박태준은 마음속으로 항상 나라를 바로 세우기 위해서 가장 중요한 것은 교육이라고 생각하였습니다. 앞으로 사원이 대폭 늘어나고 젊은 사원이 나이 들어가면 무엇보다 자녀교육이 회사의 중요한 복지과제로 떠오를 것을 염려하고 있었습니다. 그는 '최고의 유치원'에서 '최고의 대학'까지 만드는 것이 꿈이었습니다.

하지만 국가의 도움 없이 포항제철의 힘만으로 교육 사업을 시작하는 것은 쉽지 않았습니다. 포항제철소 건립 초반에 워낙 많은 돈이 투자되었기 때문에 교육 사업까지는 무리가 있었습니다.

1970년 가을이었습니다. 갑자기 거액의 돈다발이 굴러들어왔습니다. 당시로서는 엄청나게 큰 돈이었던 6,000만 원이었습니다. 당시에 보통 집 한 채가 300만 원 정도였습니다. 6,000만 원이면 집 20채 값이나 되었습니다. 제철 1기고로 건설에 쓰일 고가의 설비품들은 그것을 설치하는 업체와 포항제철 양측에서 다 보험에 들었는데, 그 보험회사가 으레 하는 기준에 따라 사례비로 내놓은 것이었습니다.

박태준은 어떻게 하면 그 돈을 효과적으로 잘 이용할 수 있을까 고심하다가 임원 회의를 열었습니다.

"주택문제는 차질 없이 해결되고 있으니, 또 하나 중요한 과제는 우리 사원들의 자녀교육 문제입니다. 건설완료에 따라 앞으로 사원이 대폭 늘어나고, 젊은 사원들이 나이 들어가면 무엇보다 자녀교육이 회사의 중요한 복지과제가 될 텐데. 그때에 대비해서 이 돈으로 제철장학재단을 설립하면 어떻겠습니까?"

모두들 흔쾌하게 동의하였습니다. 1970년 11월 5일 '재단법인 제철장학회'가 탄생하였습니다.

"오늘 조촐하게 출발의 첫걸음을 내딛지만, 제철장학회는 장차 우리 사원들에게 최고의 교육시설과 장학혜택을 제공하게 될 것입니다. 교육이란 사람만이 가지고 있는 지적 능력이며, 사람은 오로지 교육을 통해서만 사람다운 능력을 갖출 수 있고, 사람다운 행위를 할 수 있고, 사람다운 품격을 지닐 수 있습니다. 그러므로 교육이 그 국가 사회의 장래를 결정짓게 됩니다. 그것이 교육의 힘입니다."

박태준은 평소부터 가지고 있었던 교육에 대한 신념을 토로하였습니다.

제철장학재단은 박태준의 계획대로 포항제철 교육의 모태가 되었습니다. 이 재단이 1971년 9월 첫 유치원을 세운 뒤로 회사가 성장하고 사원 자녀들도 자라남에 따라 각급 학교를 차례차례 설립해 나갔습니다.

이렇게 하여 세워진 학교가 포항에만 유치원 2개, 초등학교 3개, 중 · 고등학교 3개로 총 8개였으며, 광양에도 유치원 2개, 초등학교 2개, 중 · 고등학교 2개로 총 6개 학교가 세워졌습니다. 1986년에는 포항공과대학교(포스텍)를 설립해 아시아 최고 공과대학으로 육성하였습니다.

이런 교육 시스템은 주택문제 해결과 함께 포항제철이 이룩한 '천국'이 되었습니다.

5. '쇳물'은 쏟았지만

1977년 4월 24일 새벽, 제1제강 공장에서 쇳물이 쏟아지는 사고가 발생하였습니다.

쏟아진 쇳물은 두 개의 케이블 덕트(duct)로 흘러들어가 케이블을 태웠고, 이어서 취련 중인 1호 전로의 케이블에 불이 옮겨붙은 나머지 전로가 오작동을 일으켜 기울어지는 바람에 전로 속의 쇳물 90톤이 흘러내려 또 다른 케이블 덕트로 들어가 2차 사고로 이어졌습니다.

이 화재로 제강공장 지하에 매설된 케이블의 70%가 타버렸고, 총 142면의 운전 조작실 계기장치 중 102면이 타버렸습니다. 전후 생산 공정은 물론이고 관련업체에까지 영향이 파급될 수밖에 없었습니다. 하지만 다행히 인명피해는 없었습니다.

당시 출장 중이었던 박태준은 남은 일정을 모두 취소하고 도쿄로 날아가서 일본제철소 관련자와 전문가로부터 문제 해결에 대한 자문을 요청함과 동시에 기술자를 확보하여 사고 현장으로 파견하였습니다. 현장에 도착한 일본 기술자들의 소견으로는 완전복구에 3~4개월이 소요된다고 하였습니다.

박태준은 파랗게 질려 떨고 있는 관련자들에게 말하였습니다.

"제철소는 100년, 200년의 역사를 쌓아야 하므로 사고 발생 시 효과적으로 수습할 수 있는 기동성과 능력의 축적 여부가 존재의 관건이 됩니다. 이번의 불행한 사고는 그동안 우리가 축적해온 조직력과 개인의 능력, 각급 책임자들의 지도능력을 종합적으로 발휘할 수 있는 기회이니 모든 역량을 집중해야 합니다. 그러니 복구 작업은 모두 한 달 안으로 마무리해야 합니다."

박태준은 사고조사위원회를 구성하여 신속한 대책을 마련하도록 지시하였습니다.

"우선 사고 원인이 무엇인지부터 알아보시오!"

조사된 사고 원인은 크레인 운전자의 과로와 부주의 때문이었습니다. 운전자는 대가족을 부양하기 위해 두 개의 직장을 가지고 있었습니다. 박태준은 크레인 운전자에게 질책이나 벌을 주기보다는 근본적인 해결책을 만들었습니다. 크레인 운전자들이 과업에 집중할 수 있도록 단조로운 기계음 상쇄를 위해 '라디오와 음악 들려주기', '야간근무 교대시간 조정', '감독자를 늘려 잦은 순찰로 졸음 예방' 등 실용적인 개선

방안을 제시하였습니다.

복구하는 동안 정부는 물론 포항지역의 각급 기관장들의 격려도 큰 힘이 되었습니다. 직원 부인들로 구성된 '새살림 부인회'에서는 철야작업에 매달리는 현장 작업원들에게 매일 야식을 날랐습니다. 사고 68일 만인 7월 1일 1호 전로를 마지막으로 완전 복구함으로써 제철소 전 공정의 생산 기능이 회복되었습니다.

"이번 사고로 우리는 큰 교훈을 얻었습니다. 성취감과 단결력, 그리고 안전과 예방에 대한 경각심이 그것입니다. 그러므로 이번 일은 어느 누구에게도 책임을 묻지 않겠습니다. 모두 내가 책임을 지겠습니다. 대신 다시는 이런 일이 일어나지 않도록 각별히 유념하시기 바랍니다."

불과 68일 만에 완벽하게 끝낸 포항제철은 커다란 물질적 손실을 입었으나, 그보다 훨씬 귀중한 정신적 자산을 얻게 된 계기가 되었습니다.

6. 지금부터 비상태세

"지금부터 비상태세에 돌입한다. 9월 중에는 매일 콘크리트를 무조건 700입방미터씩 타설한다! 즉각 실시하라!"

박태준의 목소리는 마치 전투 현장에서 지휘관이 병사들에게 외치는 소리 같았습니다. 하루에 많아야 300입방미터를 타설해 온 건설 현장은 목표량 달성을 위해 전투장으로 바뀌었습니다. 박태준이 제시한 목표를 달성하기 위해 회사의 모든 임직원들이 조별 총감독으로 나서고 24시간 작업을 하도록 작업조가 편성되었습니다.

"모두 잠자지 마라! 눈을 부릅떠라! 다들 이를 악물어라! 자면 회사가 망한다!"

박태준은 잠시도 앉아 있지 않았습니다. 지휘봉을 들고 현장을 샅샅이 누비며 다녔습니다. 그는 하루에 세 시간 정도밖에 자지 않았습니다. 그것도 작업화를 신은 채 아무 데서나 잠깐씩 토막 잠을 잤습니다. 심야에도 새벽에도 인부들과 함께 작업 현장에 있었습니다. 그 누구도 게으름을 피우지 못했습니다.

박태준의 지휘 아래 콘크리트는 타설되고 또 타설되었습니다. 잠시도 쉬지 않는 현장 근로자들의 노력으로 공사 기간은 하루씩 하루씩 단축되고 있었습니다.

포항제철 1기 건설 중 가장 먼저 시작한 열연공장은 1970년 10월 1일에 착공하여 1972년 10월 31일에 완공하기로 하였습니다. 이를 위하여 엄청난 중량의 설비를 포함해서 1만 4천 개 이상의 단위 기계를 정밀하게 설치해야 했습니다. 기초 공사에 소요되는 콘크리트 총량만 해도 9만 6천 입방미터나 되는 거대한 공사였습니다.

그런데 콘크리트 기초 공사가 계획과 달리 지연되고 있었습니다. 설계 변경에 따른 공사 지연과, 건설 업체의 자재, 인력, 장비 부족 등이 주된 원인이었습니다. 특히 목수, 용접공, 중장비 기술자 대부분을 서울에서 모집해야 했습니다. 포항에는 그만한 인력이 부족했기 때문에 공사 현장의 인력난이 더 큰 문제였습니다.

열연공장의 공사기간이 늦어지자 일본 기술자는 설비 인도 계획을 연기할 것을 건의하였습니다. 만약 각종 설비가 공장 건축보다 먼저 도착하게 되면 일정한 장소에 보관해 두었다가 다시 공사 현장으로 옮기기 위해 대형 크레인을 동원해야 하고, 이에 따른 보관비용 등 추가 비용이 많이 발생한다는 이유 때문이었습니다.

그러나 박태준의 입장에서는 공사 기간이 늦추어지면 건설비가 많이 들어갈 뿐만 아니라 호주에 있는 원료 공급업체와의 계약에도 큰 영향을 미치는 등 어려움이 이만저만이 아니었습니다.

그래서 박태준은 비상사태를 선언하고, 잠들면 회사가 망하게 된다며 모든 직원에게 총력을 기울일 것을 강조하였습니다.

그렇게 사력을 다한 두 달 만에 끝끝내 목표를 달성하였습니다. 불과 두 달 만에 5개월 분량의 콘크리트 타설을 완료해 3개월 지연된 공사일정을 완전히 만회하였습니다. 박태준은 1971년 10월 31일 '열연 비상 태세' 상황을 해제하였습니다. 모두 감격의 만세, 승리의 만세를 불렀습니다.

7. 내 몸이 깨끗해야

"모든 사원의 부인들은 반드시 목욕을 하게 하시오."

1974년의 박태준은 전 사원들에게 특이한 지시를 내렸습니다.

"사장님, 그게 무슨 말씀이세요? 어떻게 각 가정사까지 간섭하시려는 거예요?"

일부 사원들은 이 지시를 이해하지 못하였고 사원 부인들은 항의를 하기도 했습니다. 그해 연말 사보에 목욕령은 올해의 세 번째 나쁜 사건으로 뽑히고, 목욕령을 풍자한 기사도 함께 실렸습니다. 박태준은 자신의 뜻이 제대로 전달되지 않았음을 깨닫고 그냥 넘길 수 없었습니다.

기사를 쓴 홍보실 직원을 임원회의에 참석시켜 큰 소리로 기사를 읽게 했습니다. 직원은 떨리는 목소리로 기사를 읽고는 자신의 입장을 설명하기 시작했습니다. 박태준은 용기와 솔직함을 칭찬하는 한편, 목욕철학에 대해 자세히 설명해주었습니다.

"내 목욕론은 회사의 명운이 달린 문제라오. 부인이 깨끗해야 남편이 깨끗하고, 남편이 깨끗해야 공장이 깨끗하고, 공장이 깨끗해야 좋은 제품을 생산할 수 있다는 매우 중요한 신념이 담긴 깊은 뜻이 있다오. 몸이 깨끗하면 마음이 청결해지고 마음이 청결해지면 공장이 청결해집니다. 공장이 청결해지면 결국 우리가 생산하는 제품의 품질도 좋아질 것입니다."

박태준은 이후 각 공장에 직원들을 위한 목욕탕을 짓도록 지시하였습니다. 직원들이 청결한 몸과 마음가짐을 가질 수 있도록 한 것입니다. 새로 만든 목욕탕에 처음 들어간 직원들은 모두들 깜짝 놀라곤 하였습니다. 목욕탕 내부는 대리석으로 만들어져 그 어떤 곳보다 고급스러웠기 때문이었습니다.

"이 정도면 특급호텔 부럽지 않을 목욕탕이야!"

이후 포항제철은 일을 하기 전에 목욕하는 일이 하나의 문화로 정착되었습니다.

박태준의 청결주의는 직원들이 자신들의 몸을 청결하게 하는 것에서 나아가 공장과 공장 주변으로까지 확대되었습니다. 쾌적한 환경을 위해 각 공장마다 커다란 수족관을 놓는가 하면 공장 주변에 수많은 나무들을 심기 시작하였습니다.

공장 주변이 아예 공원처럼 보일 정도로 많은 나무를 심었습니다. 수년이 흐른 후, 포항제철의 공장 주변은 푸르른 녹지대로 변하였습니다.

박태준은 공장 주변의 나무들을 보며 단순히 경치만 즐기지 않았습니다. 혹시 나뭇잎에 공장의 쇳가루나 먼지 같은 것들이 앉아 있지 않은지 유심히 살폈습니다. 회사의 모든 직원들도 늘 공장과 회사 주변을 청결히 하도록 애썼습니다. 그리고 이것은 실제로 제품의 품질 향상으로 이어졌습니다.

덕분에 포항제철소와 광양제철소는 세계 어느 제철소보다 깨끗하고 정돈된 작업환경을 갖출 수 있었습니다. 그의 지론처럼, 청결론은 좋은 품질을 생산하고 각종 산업재해를 줄이는 기초가 되었던 것입니다.

8. 최고의 교육으로 교육보국을…

"너희들 참 일찍 등교하는구나!"

"할아버진 누구세요?"

"나? 글쎄, 내가 누구더라?"

광양제철초등학교 교정에서 이른 아침에 1학년 학생들과 만난 박태준은 잠시 말문이 막혀버렸습니다. 누구냐고 묻는 말에 언뜻 답변하기가 곤란했지만, 자애로운 웃음으로 대신하였습니다.

광양제철소 주택단지 인근에 조성된 학원 단지는 박태준이 '제철보국'과 같은 개념으로 '교육보국'을 실현하고자 이루어진 산물로서 특별한 애정과 정성을 쏟는 곳이었습니다. 철을 통해 국가 발전에 기여하듯 교육을 통해 국가 발전에 기여하기 위해 일찌감치 교육의 백년대계를 실천하는 큰 그림을 그렸습니다.

이러한 학교 단지는 광양뿐만 아니라 포항 효자단지에도 마련하였습니다. 포항제철이 성장하면서 임직원들의 주택문제와 교육문제를 해결하기 위하여 공장 건설보다 먼저 마련한 복지시설이었습니다. 포항이나 광양과 같은 지역에 사는 직원들에게 가정과 가족문제를 원만하게 해결해 주기 위한 시설이었습니다. 포항공과대학(포스텍)을 비롯하여 포항과 광양에 모두 15개의 학교를 세웠습니다.

이러한 시설은 장차 국가의 교육발전에 지대한 공헌을 하게 되었습니다.

"최고의 학교를 지어 최고의 교육이 되도록 최고의 정성을 기울여야 합니다."

박태준의 교육철학은 사원 복지 차원의 교육, 특성화(전문계) 교육, 영재교육을 위한 수월성 교육으로 요약할 수 있습니다. 포항제철고등학교는 2011학년도 서울대학교 수시 최종 합격자 23명을 기록해 전국을 놀라게 했습니다. 2001년부터 2010년까지 10년간 서울대학교 합격자 수에서 포항제철고등학교는 전국 12위를 차지했습니다. 이는 서울을 제외한 고등학교 중에서 가장 많은 합격자를 낸 것입니다. 광양제철고등학교도 2009년 서울대학교 합격자 수에서 전남 지역 1위를 차지하였습니다. 2009년 10월에 시행한 학업성취도 평가에서는 초 · 중학교가 서울 강남 지역보다 높은 성적을 거두었으며, 고등학교도 여타 지역보다 월등하게 앞선 것으로 나타났습니다.

1986년 12월에 국내 최초의 연구중심대학으로 개교한 포스텍(POSTECH)과 1987년 3월에 설립된 산업과학기술연구소[(현 포항산업과학기술원(RIST)]는 세계 최고 수준의 기업 · 대학 · 연구소 사이의 삼각 체계가 형성되어 있습니다.

"국가의 미래는 교육의 수준에 달려 있고, 최고의 교육은 최고의 교사만이 할 수 있습니다."

그는 스승 공경에도 모범을 보였습니다. 교육적 신념으로 가르치는 사람에 대한 배려와 존경에 소홀함이 없었습니다.

박태준의 교육보국은 하버드대학교 및 스탠퍼드대학교 MBA 과정의 사례 연구 교재와 일본의 미쓰비시연구소 · 노무라연구소 등 세계적인 연구소에서는 직원 자녀 교육 문제의 해결을 포항제철 성공 요인 가운데 하나로 평가하고 있습니다.

정박사 리더십이야기

동기부여에 대하여

동기부여란 스스로 하고자 하는 마음이 생기게 하는 것을 말합니다. 반대로 동기부여가 없다는 것은 마음에서 하고자 하는 움직임이 없다는 것을 말합니다. 동기부여는 내적 동기부여와 외적 동기부여로 나눌 수 있습니다. 내적 동기부여는 사람의 마음에서 진정으로 우러나 행동으로 이끌어 내는 것을 말하고, 외적 동기부여는 물질적인 보상으로 행동을 하도록 유도하는 것을 말합니다. 사람들에게 진정으로 움직이고자 하는 마음이 생기도록, 즉 내적 동기부여를 심어주는 것이 중요합니다. 그래야 사람은 능동적으로 행동하고자 하는 마음이 생기고 이런 상태에서 일이나 공부를 하면 좋은 결과를 얻을 수 있기 때문입니다.

아동심리학사인 레디(Letter)가 아동들을 대상으로 한 동기부여에 대한 실험을 소개합니다. 유치원에 다니는 어린이들을 A그룹과 B그룹으로 나누어 A그룹 아이들에게는 그림을 잘 그리면 상을 주겠다고 하고, B그룹의 아이들에게는 상에 대한 이야기는 하지 않고 자유롭게 그림을 그리도록 하였습니다. 그림을 그린 후에 A그룹, B그룹 모두에게 상을 주었고 일

주일 뒤, 이번에는 보상에 대하여 아무 말도 없이 다시 그림을 그리라고 했습니다. 그 결과 A그룹은 그림을 그리는 아이들의 수가 줄었고, B그룹의 아이들은 여전히 즐겁게 그림을 그렸다고 합니다. 외적 동기는 물질적 보상과 같이 외부로부터 부여된 동기를 말합니다. 이처럼 외적 동기는 행동을 쉽게 유발할 수 있지만 보상을 주는가에 따라 행동이 결정되기 때문에 오랫동안 지속이 어려울 수 있습니다. 예를 들어 부모님께서 이번 시험에서 100점 맞으면 원하는 것을 사준다고 보상을 제시하여 외적 동기를 가진 학생들은 장기적으로 봤을 때 성적이 오르지 않을 수 있다고 합니다. 반면에 내적 동기는 꿈, 열정, 사명감 등 능동적으로 부여한 동기를 말합니다. 내적 동기는 한번 형성되기는 어렵지만 장기간의 목표 달성도 즐겁게 하면서 달성할 수 있다는 장점이 있습니다. 내적 동기부여는 '자기 행동의 원천이 되고 싶은 욕망'을 말하는데 이런 내적 동기에 돈과 같이 외적 보상으로 해결하려고 하면 오히려 내적 동기부여가 사라지게 된다고 합니다.

박태준은 포스코 직원들에게 앞에서 말한 내적 동기부여에 대하여 늘 강조하였습니다. 박태준이 강조한 내용은 다음과 같습니다.

"포스코의 성공을 위해서는 직원들의 헌신과 혼을 불러일으키는 것이 중요합니다. 하지만 이것들을 돈으로 불러낼 수는 없지요. 종업원들이 스스로 자신의 일에 사명감을 가져야 합니다. 그들이 몸과 마음을 다해 일할 수 있도록 동기를 부여하고 사기를 북돋아 주어야 합니다. 돈은 얼마 동안이나마 종업원들에게 일할 의욕을 주지만, 지속적인 효과는 없기 때문에 동기요인이라고 볼 수 없습니다. 종업원들이 돈 때문에 일한다고 생각한다면 끊임없는 마찰만 생길 것입니다. 종업원들에게 동기를 부여하는 가장 좋은 방법은 100% 능력을 발휘할 수 있도록 긍지와 사명감을 심어주는 것입니다. 또한 그들이 혼자가 아니라는 것을 느낄 수 있도록 이들을 지지하고 사기를 불어넣도록 하는 역할이 필요합니다."

다른 사람에게 동기를 준다는 것은 참으로 어려운 일입니다. 그러나 동기를 주게 된다면 개인에게는 삶에 대한 활력을 불어넣어 줄 수 있을 것이고, 회사에는 보다 더 많은 이익을 창출하며, 학생들에게는 더 높은 학업 성과를 올릴 수 있게 하는 원동력이 되기 때문에 리더가 구성원에게 동기를 부여하는 능력은 더할 나위 없이 중요하다는 것을 알고 그런 리더가 될 수 있도록 노력해야 할 것입니다.

Ⅶ. 책임감

1. 우향우 정신	2. 천년 가는 포항공대	3. 꼴찌부대를 1등부대로…
8. 포항제철의 울타리가 되자	Ⅶ. 책임감	4. 모래 말뚝 공법
7. 포스코 6개월 만에 이룬 기적	6. 소통령보다는 중통령	5. 단 1년 만에 흑자 낸 대한중석

책임감 있는 사람은 집이나 학교에서 자신의 의무를 다하는 사람을 말합니다. 그런 사람은 자신의 행동에 책임을 져야 한다는 사실을 잘 알고 받아들입니다. 또한 책임감이란 자신이 할 수 있는 일을 아주 잘해낸다는 뜻이기도 합니다. 만일 내가 어떤 일을 할 때 '나로 인해 다른 사람이 피해를 보지 않게 하는 것'을 말합니다. 학교에서 모둠 활동을 할 때 혼자서 완벽하게 다 하는 경우는 흔하지 않습니다. 대부분 여러 사람들이 다양한 일로 서로 얽혀있기 마련입니다. 나의 행동과 내가 하는 일이 다른 사람에게 영향을 미치기 때문에 내가 할 몫을 온전히 했을 때 그 일은 제대로 흘러갈 수 있는 것입니다.

급한 직원회의 때문이라며 교무실에 가신 담임선생님께서 공부시간이 시작되었는데도 아직 돌아오지 않으셨습니다. 선생님이 오지 않으시자 아이들은 여기저기 돌아다니며 장난하여 교실이 어수선했습니다. 그때 반장이 교실 앞으로 나가 말했습니다.

"얘들아, 장난 그만하고 자리에 앉아! 시작 시간이 넘었단 말야!"

이 반장은 반장으로서 자기의 역할을 잘 했다고 할 수 있습니다.

"급한 직원회의가 있어 교무실에 다녀올 테니, 너희들 청소 잘하고 가렴."

선생님께서 전화를 받으시더니 급히 교실 문을 열고 나가시며 말씀하셨습니다.

"얘들아, 선생님께서 1층으로 내려가셨어. 청소 대충 하고 가자."

창문으로 내다보며 망을 보던 한 친구가 호들갑을 떨며 소리쳤습니다.

이 친구는 어떠한가요? 청소당번으로서 자기 역할을 다하지 않을 때 책임감이 부족한 친구라고 할 수 있습니다.

이처럼 책임감은 반장과 같이 집단에서 중요한 역할을 맡은 사람에게도 있지만, 청소당번처럼 개개인에게 주어진 역할을 맡은 사람에게도 있습니다.

책임은 도덕적 책임, 법률적 책임, 일반적으로 부여받는 책임으로 나눌 수 있습니다.

'도덕적 책임'은 자기가 한 행동에 대하여 다른 사람의 평가를 받고, 이것에 비추어 반성하든 남으로부터의 비난이든 여러 가지 형태의 도덕적인 제재를 받게 됩니다. 만약 이 제재를 받아들이지 않으면 도덕적 책임이 약하다고 말합니다.

"영준이는 효심이 약하여 효도를 잘 못한다."처럼 비난을 받게 됩니다.

'법률적 책임'은 책임을 다하지 않음으로써 다른 사람이 입은 피해에 대해 법률에 따라 배상하거나, 책임을 다하지 못해서 생긴 범죄 때문에 형벌을 받지 않으면 안 되는 경우를 말합니다. 도덕적 책임과 다른 것은 법적인 강제력으로 책임을 짊어지게 하는 것입니다.

'일반적으로 부여받은 책임'은 업무상 받은 임무들인데 업무를 태만하게 하여서 생긴 경우도 제재를 받게 되는 것을 말합니다. 이런 경우에는 도덕적 책임과 법률적 책임을 지지 않으면 안 되는 경우와 그렇지 않은 경우가 있습니다.

금속노벨상 배서머금상 수상

▲ 첫 출하의 감격

▲ 피와 땀의 휘호

▲ 첫 제품 출하

1. 우향우 정신

1968년 11월, 박정희 대통령은 포항 해병부대를 방문하는 길에 건설현장을 불시에 들렀습니다.

서울에 출장 중이던 박태준은 급히 수도권 부대로 달려가 세스나기를 타고 포항에 도착하였습니다. 대통령을 건설사무소 2층 브리핑실로 안내하고 다음과 같이 보고했습니다.

"KISA(대한국제제철차관단) 회원국은 또다시 자금조달 문제를 지연시키고 있으며, 세계은행은 제철소 건설을 연기하라고 촉구하고 있습니다. 국내에서 마련한 자금도 바닥을 보이고 있어 앞으로의 일이 불투명합니다."

그때 대통령은 난간으로 걸어 나가 황량한 벌판을 시름에 잠겨 쳐다보았습니다. 아름다운 백사장과 조용한 해변 마을은 모래바람으로 뒤덮인 벌판으로 변했고, 수녀원과 고아원도 폐허로 변해 있었습니다.

모래바람이 대통령의 얼굴로 사정없이 날아들자 눈을 비비며 탄식했습니다.

"이거 남의 집 다 헐어놓고 제철소가 정말로 되기는 되는 거요? 제철소가 그만한 희생과 불행을 치를 만한 가치가 있는 거요?"

대통령의 이 말은 박태준의 마음속 깊이 새겨졌고 그의 등

골에는 식은땀이 흘러내렸습니다. 종합제철소 건설에 대한 대통령의 집념을 잘 알고 있는 그로서는 대통령의 심정을 이해할 만했습니다. 부지조성 공사를 하느라고 농가를 헐어내고 묘지들을 파헤쳤지만, 정작 KISA로부터는 아무런 확답이 없었습니다. '정부계획은 지난 10년 동안 여러 번 실패했는데 포항제철마저 실패한다면 조상 대대로 살던 터전을 잃은 사람들의 고통과 혼란은 무엇으로 보상한다는 말인가?'

영일만의 황량한 모래벌판에는 겨울의 매서운 바닷바람이 휘몰아치고 있었습니다. 박태준은 그 바람 속에 전 사원들을 집합시켰습니다.

"우리는 이제 대일청구권 자금으로 제철소를 짓게 되었습니다. 여러분, 대일청구권 자금이란 무엇입니까? 그것은 다름 아닌 식민지 35년 동안 우리 조상들이 일제에 핍박당하며 흘린 피의 대가입니다. 우리는 조상의 핏값으로 제철소를 짓는 것입니다. 그러니 실패하면 조상들께 영원히 씻을 수 없는 죄를 짓는 것입니다. 그러므로 우리가 할 수 있는 것은 오직 하나, 목숨을 걸고 치열하게 일해야 합니다. 우리 앞에는 실패란 있을 수 없습니다. 오로지 성공만이 있을 뿐입니다. 만약 실패한다면 우리는 모두 우향우해서 저 영일만 바다에 빠져 죽는 길밖에 없습니다."

"우향우 정신으로 무장하고, 우리 다 같이 힘차게 출발합시다. 새 역사를 향해!"

세찬 바닷바람 속에서 박태준의 외침은 비장했고, 사원들은 결연한 침묵 속에서 한마음이 되고 있었습니다. '실패할 수도 없고, 실패하지도 않을 것이다. 이제 되돌아갈 길은 없다.' 그는 국민을 위해 반드시 성공해야겠다고 마음먹었습니다.

포항제철 임직원들은 어렵고 힘들 때마다 '우향우'를 외치곤 했습니다. 결국 이 구호는 포항제철의 전통과 정신을 상징하는 말이 되었습니다.

2. 천년 가는 포항공대

"흔들흔들~~ 우지직! 쿵!"

2017년 11월 15일 오후 2시 29분 31초에 포항에서 발생한 지진으로 포항시는 한때 큰 혼란에 빠졌습니다. 진도 5.8을 기록한 포항 지진은 우리나라 지진 관측상 가장 강한 지진 중의 하나였습니다. 수십 명의 사상자가 생겨났고, 다세대 주택 기둥이 엿가락처럼 휘고 아파트가 피사의 사탑처럼 한쪽으로 기울었습니다. 1,500여 명의 이재민에게 큰 고통을 안겨주었습니다.

하지만 1986년에 완공한 포스텍 건물 35개 동은 전혀 피해를 입지 않았습니다. 지진이 발생한 진원지와의 거리가 약 11km쯤 되는데 거리가 멀었기 때문만이 아니었습니다. 포스텍에서 1km 떨어진 대잠동의 27년 된 한 5층 아파트에선 화장실 천장이 무너져 내렸습니다. 포스텍이 있는 포항 남구에서만 230여 건의 피해신고가 접수되었습니다. 포스텍은 그 이전 9월에 발생한 경주 강진 때도 아무런 피해를 보지 않았습니다. 당시에도 진앙지와의 거리는 30km 안팎이었습니다.

"강진에 견딜 수 있는 1,000년 갈 학교를 짓자!"

박태준이 포항공과대학교를 지을 때 한 말이었습니다. 포항 지역은 진도 5.8과 같은 강진이 일어나는 지역으로 알려져 있지 않은 비교적 안전한 곳이었습니다. 그럼에도 박태준은 학교를 지을 당시부터 그런 강진에도 끄떡없이 견딜 수 있는 학교를 지어야 한다고 강조하였습니다.

지진이 일어나자 박태준의 혜안을 각종 언론들이 앞다투어 다루었습니다.

"강진 견디는 1,000년 갈 학교 짓자,

– 내진 설계 기준 없던 시절, 건축 표준 지키며 원칙대로 공사"

"원칙에 철저했던 학교 건물, 컵 하나 안 떨어질 정도"

"수백 년 한 번 올 지진도 대비"

"31년 전에 지은 포스텍 기숙사, 외벽 두께 30cm 튼튼하게 지어,

– 포항 지진에 갈라지고 기울어진 포항의 한 아파트 외벽은

15cm 불과"

이뿐만이 아닙니다. 포항공과대학교(포스텍)에는 지상에 전봇대나 전깃줄 등의 전기 통신시설이 보이지 않습니다. 건설 당시부터 지하에 매설할 수 있게 설계하였습니다. 지상에 전봇대를 설치하면 이리저리 얽힌 전기선들이 보기에도 어지럽고 관리하기에도 어려움이 많다고 생각하였습니다. 일부 직원들이 공사비가 많이 든다고 염려하였습니다.

"지하에 설치하면 공사비가 많이 들어 어려움이 많을 것입니다."

"우리의 책임감은 무엇이오? 만일에 지진이나 화재가 났다고 생각해 보시오? 그 피해는 지금 들어가는 공사비가 문제가 아닐 것이오."

화재나 지진과 같은 재난에 대비해 지하에 매설하기로 하였던 것입니다. 지하 갱도에는 전기전선은 물론이고 상하수도관 등을 매설했습니다. 그 지하 갱도의 규모는 자동차도 지나갈 수 있게 널찍하게 건설되어 있습니다. 물론 박태준의 리더십과 책임감은 30여 년 뒤에 증명되었고, 앞으로 천년도 더 끄떡없을 것입니다.

3. 꼴찌부대를 1등부대로…

"모두 나를 따르라. 해서 안 될 것이 없다!"

1958년 7월 박태준 대령의 보직이 변경되었습니다. 참모장에서 71연대장이 된 것입니다. 일선 지휘관을 해야만 군인으로서의 경력이 빛나고, 군인의 길이 탄탄해지는 것이었습니다.

71연대 연대장이 된 박태준은 병사들을 향해 외쳤습니다. 하지만 병사들은 별 반응을 보이지 않았습니다. 박태준은 긴 한숨이 나왔습니다.

71연대는 최하위부대로 평가받고 있었습니다. 병사들의 피복부터 엉망인 데다, 사기가 떨어져 군인다운 모습을 찾아보기 어려웠습니다.

'그렇다면 내가 먼저 솔선수범하는 수밖에 없지!'

박태준은 '나를 따르라'는 분위기를 살리기 위해 제식훈련을 직접 지휘하고 나섰습니다. 대령이 직접 지휘봉을 휘두르며 앞장서자 사병들의 모습에서 긴장감이 돌기 시작하였습니다. 사병들에게 계획에 잡힌 대로 훈련을 실시하고, 정해진 규정대로 급식을 마련해 주었습니다. 피복이나 기타 장비도 모두 규정대로 지급하였습니다.

그는 꼴찌부대를 단숨에 최상위부대로 변화시킬 방법을 찾아냈습니다. 그것은 다름 아닌 국군의 날 시가행진 부대로 선발되는 것이었습니다.

"우리 71연대를 이번 국군의 날 시가행진 부대로 선정해 주십시오."

"그게 될 말이오? 국군의 날 시가행진 부대는 어떤 부대가 참여해야 하는지 당신도 잘 알고 있지 않소?"

"잘 알기 때문에 드리는 말씀입니다. 상위부대만 자꾸 내보내는 무슨 이유가 있습니까? 하위부대를 훈련시켜 상위부대로 만들어야 하는 것 아닙니까? 반드시 해내겠습니다. 저를 믿어주십시오."

상관들을 설득한 끝에 결국 71연대는 시가행진 부대로 선정되었습니다. 단지 그 사실만 가지고도 장병들의 기색이 달라졌습니다. 그리고 그 결정에 잇따라 장병들의 모든 물품이 새것으로 지급되었습니다. 새 군화를 신고 새 군복을 입은 장병들은 눈동자가 빛났고 온몸에서 생기가 뻗치고 있었습니다.

"모두 나를 따르라. 해서 안 될 것이 없다!"

박태준은 다시 한번 병사들을 향해 외쳤습니다.

"와아아–."

부대원들은 우렁찬 함성으로 화답했습니다. 그 이전과는 전혀 다른 모습이었습니다.

박태준은 국군의 날 시가행진에서도 맨 앞에서 부대를 이끌었습니다. 누가 보아도 당당하고, 씩씩하고, 멋들어져 흠잡을 데가 없는 행진이었습니다. 행사 평가도 대호평이었습니다.

박태준은 꼴찌부대를 계획적인 훈련과 정량 급식으로 마침내 1등 부대를 만들어 놓았습니다.

4. 모래 말뚝 공법

"광양만의 약점인 연약지반이란 악조건을 포항제철이 해결하겠습니다."

박태준의 설득에 정부는 1981년 11월 광양만을 제2제철소 입지로 확정하였습니다.

1970년대만 해도 전남 광양만은 황금어장이자 기름진 갯벌이었습니다. 섬진강 물과 바닷물이 만나는 지점에 위치해 각종 어류와 해산물이 넘쳐났습니다.

건설공사에서 애를 먹인 것은 광양만 앞 4백50만 평의 바다를 메우는 일이었습니다. 매립지를 마련하는 과정에서 바다 갯벌과 같은 연한 땅을 단단하게 하기 위해 국내 최초로 이른바 '모래말뚝 공법' 또는 '모래다짐공법'을 도입했습니다. 이 방법은 지름 40cm, 깊이 10~25m의 모래기둥 104만 개를 갯벌에 박아 넣고, 삼투압의 원리를 이용해 갯벌 층에 있던 수분을 뽑아내 단단한 땅바닥을 만드는 것이었습니다. 모래기둥을 박으면 메워진 지면의 물과 공기가 모래기둥을 타고 올라오므로 주변의 지반이 그만큼 가라앉으면서 탄탄해진다는 원리였습니다.

광양만 매립부지는 1,500만㎡로 여의도 면적의 5.5배에 달했습니다. 1980년대 초 광양만에 있던 10여 개의 섬이 매립되어 그 위에 제철소가 세워졌습니다.

박태준은 당시의 상황을 다음과 같이 이야기하였습니다.

“1984년 1월부터 광양만에는 섬이 보이지 않았다. 불과 1년 만에 상전벽해가 일어나, 매립부지가 황량한 벌판처럼 펼쳐졌었다.”

우리나라는 ‘모래 말뚝 공법’ 기술이 없었습니다. 이 기술은 일본이 가지고 있었습니다. 박태준은 건설부서의 직원을 일본으로 급히 보내라고 하였습니다. 8명이 뽑혔습니다.

“당신들은 일본의 연약지반 개량 현장을 견학하고 토질시험 방법을 철저히 익혀오도록 하시오.”

광양만 매립부지를 얻기 위해서는 ‘모래말뚝 공법’을 활용하기로 마음먹었습니다. 그래서 일본 기술자들과 훈련하는 과정에서 그 기술을 우리의 것으로 만들기 위한 예비지식을 습득해 두라는 뜻이었습니다. 그 덕분에 공사 시작 넉 달 뒤부터 우리 직원들의 기술이 일본 현장감독들의 기술을 능가해 버렸습니다.

매립부지 조성공사는 신공법을 도입하여 처음 시작한 것임에도 불구하고 공사기간을 크게 줄여 1984년 11월에 마무리되었습니다. 그 덕분에 제철소 본 공장 착공은 예정보다 4개월, 준공도 9개월 앞당겨졌습니다. 광양만 매립 공사는 이처럼 기록적인 역사를 세우며 대한민국 지도를 완전히 바꿔놓았습니다.

불과 2년 뒤에는 포항제철의 연약지반 개량 기법이 세계적인 수준에 이르렀습니다. 1986년부터 이 기술은 포스코의 '대외판매 가능 기술' 리스트에 올랐습니다.

이렇게 부지를 매립하여 세운 광양제철소는 고로에서 쇳물이 나와 열연공장에서 핫코일이 생산되기까지 8시간 30분밖에 걸리지 않는 제철소가 되었습니다. 일반제철소에서는 4~5일 걸리는 것과는 비교가 되지 않을 만큼 빠른 속도입니다.

5. 단 1년 만에 흑자 낸 대한중석

1964년 10월 일본 특사 임무를 성공적으로 마치고 돌아와 다시 미국 유학을 구상하고 있던 박태준에게 박정희는 새로운 임무를 부탁했다.

"대한중석을 맡아주게나."

"옛? 대한중석을 맡으라구요? 전 이제 유학을 가려고 하는데요?"

"대한중석이 얼마나 중요한지 자네 잘 알고 있지?"

"잘 알고 있기는 합니다만…."

대한중석은 당시 우리나라에서 매우 중요한 회사였습니다. 중석을 텅스텐이라고 하는데 전구의 필라멘트를 만들거나, 우주선 로켓의 어떤 부품을 만드는 데 쓰이는 광물입니다. 우리나라 텅스텐은 세계적으로 매우 좋은 품질로 이름이 나 있어, 그것을 캐 외국에 수출하는 기업이 바로 대한중석이었습니다.

그런 기업이 역대 정권에서 정치자금 구설수에 올라 매년 적자를 내고 있었습니다.

"네, 맡겨주시면 잘해보겠습니다."

박정희는 '짧은 인생을 영원한 조국에!'라는 박태준의 좌우명을 잘 알고 있었습니다. 책임감은 물론이요, 국가를 위하는 사명감이 강한 박태준이 맡아야만 대한중석의 문제점을 해결할 수 있으리라 믿었습니다.

박태준은 사장에 취임하자마자 다른 사람과는 달리 서울 사무소에 앉아 있지 않고 현장으로 달려갔습니다. 대한중석의 현황을 한눈에 살필 수 있는 곳이 바로 그곳이었습니다.

"앞장서시오. 막장으로 가봅시다."

깜짝 놀란 현장소장이 어찌할 바를 모르고 안절부절못하였습니다.

"막장으로 들어가자니까요, 앞장서라는 내 말 못 알아들었소?"

"아닙니다. 사장님께서 직접 이런 일을…. 여태까지 이런 일이 없었습니다."

박태준은 직접 칸델라를 들고 지하 1,500m 막장까지 내려가 광산 내부를 시찰했습니다. 막장은 생각보다 작업 환경이 좋았습니다. 그러니까 대한중석이 적자를 면하지 못하고 있는 것은 막장 안에서 일하고 있는 직원들의 문제는 아니라고 생각했습니다. 다음에는 그의 발길을 산기슭의 광원 주택단지로, 병원으로 샅샅이 뒤지고 다녔습니다. 그리고 드러난 문제점들은 바로바로 해결해 주었습니다.

"여러분들이 아프면 제대로 치료받을 수 있고, 월급은 밀리지 않고 제때에 받으며 일할 수 있도록 하겠으니 다들 나를 따르십시오."

박태준은 대한중석을 살리는 일이 국가와 민족을 살리는 일이라 생각했습니다. 그래서 모든 직원 앞에서 확고하게 선언하였습니다.

박태준의 의지를 알게 된 직원들은 그동안 무관심하게 하던 모든 불합리한 일들이나 타성을 손수 고쳐나가기 시작하였습니다.

그 결과 놀랍게도 1년 만에 대한중석은 만성 적자에서 흑자로 바뀌어졌습니다.

6. 소통령보다는 중통령

1971년은 우리나라 제7대 대통령 선거가 있는 해였습니다.

박태준은 대통령 선거 때문에 매우 어려운 상황에 놓이게 되었습니다.

당시 공화당 재정위원장은 박태준을 자기 집으로 불렀습니다. 거실에는 여러 사람이 차례를 기다리고 있었습니다. 모두 정치헌금을 받기 위해 초대한 사람들이었습니다. 재정위원장의 가장 중요한 역할은 정치자금을 충분히 확보하는 것입니다.

"다가오는 선거를 위해 박 사장께서도 정치자금을 내주시면 고맙겠습니다. 다음 달 도쿄에서 포항제철의 설비 입찰이 있다고 들었는데, 마루베니로 낙찰해주세요."

"포항제철은 어떤 정치자금 조성에도 관여하지 말라는 각하의 특별당부가 있었습니다. 포항제철이 정치헌금 때문에 제대로 완공되지 못하면, 그때 가서 책임은 누가 지는 겁니까?"

박태준이 말하자 공화당 재정위원장은 한숨을 쉬며 수심 깊은 얼굴로 바뀌었습니다.

"박 사장님, 자신과 회사를 생각해서라도 마루베니를 도와주세요."

"자격을 갖춘 응찰자 가운데 최저입찰자를 선정하는 것이 우리 회사의 방침입니다. 마루베니가 최저입찰자라면 당연히 낙찰되겠지요."

둘은 헤어졌습니다. 마루베니는 선정되지 않았습니다. 박태준은 다시 불려갔습니다.

“다음 입찰에서는 꼭 마루베니를 도와주세요.”

“마루베니의 입찰가는 최저입찰가보다 무려 20%나 높습니다. 내가 특정 회사에 특혜를 줄 방법은 없습니다. 그런 식으로 하다가는 지금의 빠듯한 예산으로 포항제철을 제대로 완공할 수 없습니다.”

“내가 모르는 바 아닙니다. 각하가 선거에서 이기셔야만 나라도 발전하고 우리도 제자리를 지킬 수 있는 게 아니겠습니까? 그러니 다음에는 무조건 마루베니를 밀어주세요.”

그러나 마루베니는 번번이 입찰에서 떨어졌습니다. ‘20%’라는 정치자금을 더 얹었으니 그쪽으로 떨어질 국물조차 없었습니다. 그때마다 박태준은 같은 장소로 불려가야 했습니다. 무려 다섯 차례나 마루베니에 특혜를 주라는 압력을 받았습니다. 그는 결코 소신을 굽히지 않았습니다. 포항제철 1기의 설비 입찰이 모두 끝났을 때 두 사람은 또 마주 앉아야 했습니다.

“결국 한 번도 마루베니를 배려하지 않았더군요. 내 이익을 위해 정치자금을 모으는 것이 아니잖소? 지난 1년 반 동안 내가 그렇게 부탁했는데도 끝까지 우리와 당을 도와주지 않았소. 소통령이라도 된다는 거요?”

“그런 별명을 붙이시려거든 소통령보다는 차라리 중통령이라고 불러주시오.”

박태준은 '모든 정치자금'을 철저히 배격하여 포항제철을 보호하였습니다. 그것은 '최저비용 최고품질'이라는 설비구매 원칙을 준수하여야만 포항제철이 제대로 건설될 수 있다는 신념으로 이겨냈습니다.

7. 포스코 6개월 만에 이룬 기적

1974년 1월 중순, 박태준은 대통령의 전화 한 통을 받았습니다.

"지금 포항제철 보고서를 보고 있어."

"무슨 문제라도 있습니까?"

포항제철이 경제기획원과 재무부에 제출한 '1973년도 연차 보고서'가 대통령의 책상에 올라가 있는 모양이었습니다.

"이거 보통 문제가 아니군. 순이익을 표시한 난에 웬 동그라미가 이렇게 많아? 어떻게 가동한 지 6개월밖에 안 되는 공장에서 12,000,000달러의 이익을 낼 수가 있단 말인가? 이거 12,000달러가 잘못 적힌 것 아닌가?"

대통령의 목소리는 의아스러우면서도 밝았습니다.

"그 수치는 확실한 것입니다. 일곱 명이 넘는 공인회계사들이 몇 주일에 걸쳐 점검한 것입니다."

"그래, 그래, 내가 몰라서 이러는 거야, 기적을 창조했구먼.

그래, 임자야말로 조국 근대화의 기수야, 기수!"

상기된 대통령의 목소리는 '기적'이란 말로 표현하였습니다.

기적이라는 말도 과언은 아니었습니다. 세계 제철소 역사상 새로 생긴 제철소가 가동 첫해 단 6개월 만에 흑자를 냈다는 것은 유례가 없는 일이었습니다. 더구나 포항제철로서도 당연히 처음 3년쯤은 적자를 낼 거라고 짐작하고 있었습니다.

처음 포항제철 회사를 발족시킬 때 대통령은 이렇게 말한 적이 있었습니다.

"명치 30년 이후 세워진 일본 제철소들이 50년 이내에 적자를 모면한 데가 없었다고 하던데…."

그런데 1,200만 달러 순이익을 냈다는 사실이 더 믿기 어려울 수 있었습니다. 초기 얼마 동안의 적자는 당연한 것이라고 믿었고, 그 적자를 국가에서 보전해 주어야 하지 않을까 염려하고 있었는데 오히려 흑자를 낸 사실이 매우 만족스러웠습니다.

조업을 시작하여 여섯 달 만에 1,200만 달러의 순이익을 달성한 사실은, 포항제철과 한국 정부의 단순한 기쁨에만 머무는 게 아니었습니다. 포항제철 1기, 2기, 3기, 4기에 이어 제2제철소까지 전해나갈 '포항제철과 박태준'의 국제적 신임도를 크게 급등시켰습니다. 그것은 앞으로 외국 투자유치를 이끌 강력한 자석이었습니다.

주택단지를 먼저 짓는다는 등 말이 많던 정부 관료들과 언론들도 기적과도 같은 엄청난 순이익을 내고 만 박태준의 업적을 앞다투어 칭찬하였습니다.

영국 로이드선급협회를 비롯한 주요국의 권위 있는 기관으로부터 품질 및 규격도 우수하다는 인정을 받았습니다. 국내 판매가격은 수입 가격의 22~42%나 낮은 가격으로 공급해 주었습니다.

포항제철이 가동 6개월 만에 1,200만 달러의 흑자를 내고, 1년 동안 1억 5,000만 달러의 외화를 절약한 것은 박태준의 투철한 책임감의 바탕 위에 조직의 역량을 향상시킨 결과라고 할 수 있습니다.

8. 포항제철의 울타리가 되자

"아이고, 오랜만입니다."

1980년 가을 한강맨션에서 만난 국보위 의장이 부담 없이 악수를 했습니다.

"선배님께서 도와 주셔야겠습니다."

"포항제철을 잘 관리하고 키워 나가는 것이 돕는 일 아니겠습니까?"

"철이야 박 선배께서 대가 아니십니까?"

이 한마디에 조금 긴장을 푸는 박태준에게 그가 뜻밖의 제안을 했습니다.

"국가보위입법회의 부의장을 맡아 주십시오."

"국보위에는 기존 비상대책위가 있지 않습니까?"

"그건 급하게 만들어 인선에도 문제가 있고요, 아무래도 박 선배께서 부의장을 맡아 주셔야겠습니다."

"감당하기 어려운 자리일 것 같습니다. 포항제철만 해도 아직 난제가 많습니다."

"너무 포항제철 걱정만 하십니다. 포항제철이야 박 선배께서 계속 관리하셔야지요. 이건 약속드립니다."

박태준은 속으로 한숨을 돌렸습니다. 정치 외풍에서 포항제철을 보호해 줄 울타리를 이제는 박태준이 직접 맡아야 했습니다. 박 대통령이 쳐준 울타리보다는 허술하겠지만 제2제철소를 완공하는 그날까지 최선을 다해 회사의 보호막이 되어야 했습니다.

때마침 이 무렵 포항제철은 제2제철소 입지 선정 문제로 정부 측과 대립하고 있었습니다. 포항제철은 광양만을 주장하고, 정부는 아산만을 밀었습니다. 입지 선정은 제철소의 성패에 엄청나게 큰 영향을 끼치는 문제였습니다. 광양이냐, 아산이냐. 이 선택은 포항제철의 미래가 걸린 중대한 문제였습니다.

"법률은 문외한이니, 경제 분야에서 일하면 어떻겠습니까?"

박태준이 그리 말하자 그는 흔쾌히 수락했습니다. 한·일 경제협력이 원만해지도록 도와달라고 했습니다.

"포항제철 대표와 겸직이 가능한지 법률 검토를 요청해 확인해 주시오."

그는 즉시 법제처장에게 전화 지시를 내렸고, 30분쯤 지나 '포항제철은 상법상 회사이므로 하자가 없다'는 답변이 돌아왔습니다. 박태준에게는 경제 제1위원장과 한일 의원연맹 한국 측 회장이란 감투가 떨어졌습니다.

박태준은 정치는 체질적으로 안 맞는다고 여겨왔습니다. 하지만 지금은 상황이 달라도 너무 달랐습니다. 선택의 여지가 없었습니다.

이듬해 봄에 박태준은 민정당 전국구 의원으로 뽑히고, 초선으로는 파격적으로 국회 재무위원장에도 피선되었습니다. 포항제철 조직에 변화가 필요했습니다. 정기 주주총회에서 정관을 변경했습니다. 박태준은 신설된 회장직을 맡고, 고준식 수석부사장이 사장 자리를 이어받았습니다.

정치를 한다고는 하지만 급한 일이 많지 않아 광양제철소 건설에 더 많은 신경을 기울였습니다. 박태준의 울타리 덕분에 포항제철은 순항을 거듭할 수 있었습니다.

정박사 리더십이야기

책임감에 대하여

책임감이란 내가 해야 할 일을 알고 행하는 것이고, 내가 해야 할 일을 끝까지 맡아서 잘 수행하는 태도를 말합니다. 책임감 있는 사람은 집이나 학교나 사회에서 자신의 의무를 다하는 사람입니다. 반대로 책임감이 없는 사람은 자신의 잘못도 남의 탓으로 돌리려고 하는 사람입니다. 책임과 위기를 모면하기 위해서 자신의 잘못을 인정하지 않고 다른 사람에게 잘못의 책임을 넘기려는 사람은 책임감이 없는 사람이라고 할 수 있습니다. 책임감 있는 사람은 자신의 행동에 책임을 져야 한다는 사실을 받아들입니다. 따라서 실수를 하면 그 점을 인정하고 사과하며 바로잡기 위해 열심히 노력합니다. 이는 다른 사람에게 신뢰를 주기도 합니다.

올림픽 경기에서 실제로 있었던 일을 소개합니다.

탄자니아라는 작은 나라에서 온 마라톤 선수가 있었습니다. 그는 경기 도중 넘어져서 두 무릎과 발목에 큰 부상을 입었습니다. 응급 처치를 받은 뒤 피가 흐르는 무릎과 발목을 붕대로 감고 경주로로 돌아온 그는 발을 질질 끌고, 절뚝거리면서도 최선을 다해 결승점을 향해 나아갔습니다. 다른 마라톤 선수들이 모두 경기를 끝내고 두 시간이 지난 뒤 마침내 고통스럽게 결승점을 통과하였습니다. 메달을 딸 가능성도 없는데 어째서 달리기를 포기하지 않았느냐고 한 기자가 물었습니다. 그 선수는 이렇게 대답합니다. "제 조국이 엄청나게 먼 이곳으로 저를 보내준 것은 경기에 참여하라는 뜻이 아니었습니다. 경기를 끝내라고 보낸 것입니다."

박태준은 구성원들에게 책임감에 대하여 다음과 같이 강조하였습니다.

"공사를 감독하는 사람들은 모든 것을 규정대로 감독해야 할 것이고, 일하는 사람들은 소신껏 자신의 일에 대하여 최선을 다해야 할 것입니다. 이런 식으로 하지 않는 사람은 우리 회사가 나아가고자 하는 방향과 맞지 않는 사람입니다. 안일한 태도로 일하는 사람이 있다면 일에 자신이 없고 협력도 잘 안 되고 말썽이 많게 됩니다. 이런 것은 규정을 아무리 강하게 만들어 봐야 소용이 없습니다. 모든 일에 있어서 소신껏 책임 있게 생각하고 행동해야 합니다."

사람들 가운데 그 사람이 참된 구성원인지 알아보고 싶다면 바로 '책임감'이 있는지를 알아보는 것입니다. 책임감이 있는 사람은 사람들에게 존중을 받고 믿음을 주는 사람으로 인정받아 고속으로 성장할 수 있는 가능성이 높아지게 됩니다. 또한 책임감 있는 사람은 부지런하고 진지한 태도로 약속한 바를 지키고자 노력하는 사람임을 알고 책임감 있는 사람이 되도록 꾸준히 노력하는 마음을 갖는 것이 중요합니다.

지금 우리 세상은 열심히 하는 것만으로는 인정받기 어려운 세상입니다. 이제는 창의성이 요구되는 시대라고 하지만 '책임감'이 없다면 창의성이 아무리 뛰어난들 무슨 소용이 있겠습니까? 일을 맡은 사람의 가장 기본은 바로 '책임감'입니다.

Ⅷ. 신뢰

1. 대통령의 종이마패	2. 이병철 회장의 선물	3. 앨 고어의 아버지
8. 거양 해운 사라지다	**Ⅷ. 신뢰**	4. 구두약으로 갚은 은혜
7. 김호길 박사	6. 18년 만에 내려간 묵은체증	5. 박태준을 수입하지요

사람들은 신뢰를 받고 싶어 하고 상대방과의 신뢰 관계를 만들고 싶어 합니다. 가장 가까이에 있는 사람이 나를 믿어준다는 것은 그만큼 내가 그동안 잘해왔다는 말이기도 합니다. 그렇다면 어떻게 하면 상대방으로부터 신뢰를 받을 수 있을까요?

가까운 친구 사이일수록 더욱 겸손해야 합니다. 친구를 뛰어넘으려고 드는 것보다 친구의 장점을 칭찬해주고 자랑스러워하는 모습을 보여준다면 서로 간의 신뢰는 커질 수 있습니다.

다른 사람에게 신뢰를 얻기 위한 또 하나의 방법은 상대의 생각과 행동을 이해하려고 하는 것입니다. 사람들은 자신의 생각과 행동에 시비를 거는 것보다 공감해 주는 사람에게 신뢰를 보내기 때문입니다. 상대에게 겸손하고 상대방의 입장에서 생각한다면 상대와의 신뢰 관계를 만드는 것이 결코 어려운 일이 아니라는 것입니다.

“너 왜 가스레인지와 가스 안 가져왔어? 그게 없으면 음식을 어떻게 만들어 먹지?”

“하나만 있으면 안 될까? 슬민이가 가져오면 되잖아!”

“만약에 슬민이가 안 가져오면 어쩌지?”

“걱정 마. 슬민이는 꼭 가지고 올 거야.”

실과 시간에 음식 만들기 할 때 흔히 있을 수 있는 이야기입니다. 요리 재료뿐만 아니라 요리 기구를 깜박 잊고 안 가져오는 친구도 있을 수 있습니다. 하지만 어떠한 경우라도 꼭 챙겨오는 친구가 있습니다. 정직과 성실한 생활 태도를 꼭 믿을 수 있는 친구, 그것이 신뢰입니다.

미국에서 있었던 이야기입니다.

한 경찰관이 식당에서 점심을 먹었습니다. 그는 복권을 한 장 샀는데, 복권에 적을 숫자를 주문을 받으러 온 종업원에게 좀 불러달라고 했습니다. 종업원은 생각나는 대로 불러주었습니다. 경찰관은 식사를 마치고 식당을 나가면서 종업원에게 말했습니다.

“만약 이 복권이 당첨되면 당신에게 절반을 주겠어.”

“네, 기다리고 있겠습니다!”

경찰이 농담조로 하는 말이라 생각하고 종업원도 그냥 농담

조로 받아주었습니다.

"장난이 아닐세. 내 확실히 약속하지!"

그런데 정말로 그 복권이 당첨되었습니다.

"보게나! 당첨금의 절반인 70억일세. 나는 약속을 지키는 사람이야!"

이야기를 들은 사람들은 그런 농담 삼아 한 말을 지킨 경찰관이 바보 아니냐며 비웃었습니다.

"나는 약속이 돈보다 소중하다는 것을 잘 알고 있는 사람입니다."

그는 종업원과의 약속을 지켰습니다. 무엇보다도 소중한 자신이 한 말에 대한 신뢰도 지켜냈습니다.

약속이 행동으로 지켜지지 않으면 거짓말이 됩니다. 신뢰있는 사람이 되기 위해선 약속을 잘 지켜야 하며, 약속을 행동으로 옮길 수 있어야 합니다.

대학 착공식 후 초대 총장과 함께(1985. 8. 17.)

▲ 이병철 삼성회장과 함께

▲ 정두화 회장과 말표 구두약

1. 대통령의 종이마패

“사장님, 모 국회의원 전화입니다. 받아보시겠습니까?”

“받아보나 마나 뻔한 소릴 거야. 지금 바빠서 나중에 내가 연락한다고 하시오.”

포항제철은 대일청구자금이 종잣돈이 되어 진행하고 있지만, 그것만으로는 턱없이 부족했습니다. 국내자본은 물론이고 외국자본을 유치하기 위하여 박태준은 불철주야 여기저기 뛰어다녀야만 했습니다. 그런데 국회의원이나 고위 공직자들은 포항제철이 사용하는 돈을 어떻게든 뜯어가 자신들의 뱃속만 채우려고 했습니다.

박태준의 성격상 부당한 비리와는 전쟁도 불사하겠지만, 하도 여기저기서 들쑤시는 사람들 때문에 일을 제대로 할 수 없을 지경이었습니다. 더러 노골적인 방해 공작으로 큰일을 그르치게 할 만큼 그들의 술책이나 압력은 집요했습니다.

1970년 2월 박태준은 대통령을 찾아갔습니다. 공사현황 브리핑이 끝나자 박 대통령은 곧 비서실장과 수석비서관들을 내보냈습니다.

“더 이상 보고할 필요 없네. 완벽주의자인 임자가 잘 알아서 할 테고. 일은 잘 되어가나?”

박태준은 비효율적인 구매절차와 정치헌금을 어떻게 설명

해야 할지 난감했습니다. 대통령의 불같은 성격 때문에 정치권에 큰 회오리가 일어날 수도 있지만 기한 내에 제철소를 완공하기 위해서는 대통령의 도움이 절대적으로 필요했습니다.

“지금의 구매 체제는 너무 복잡해서 공사가 제대로 진척되지 않습니다. 구매 창구를 포항제철로 일원화해 주시고, 자금의 운영 절차를 줄여주십시오.”

“정부 간섭 없이 재량권을 갖고 싶다는 말이지? 지금 건의한 사항을 여기에 간략히 적어 봐.”

박태준은 메모지에 자신이 원하는 바를 적었습니다.

‘포항제철은 설비공급업체를 정부의 간섭 없이 자유롭게 선정한다.’

‘대금 지불 및 구매계약 등의 절차를 간소화한다.’

‘정치헌금 요구와 불필요한 정부 개입을 배제한다.’

대통령은 내용을 훑어본 다음 메모지 왼쪽 위에 서명해서 다시 돌려주었습니다. 친필 서명을 함으로써 대통령은 자신의 권한을 그에게 위임한 것입니다.

“내 생각에 임자에게는 이게 필요할 것 같아. 빠듯한 예산으로 제철소를 건설하느라고 고생이 많을 텐데, 소신대로 밀고 나가.”

“감사합니다!”

대통령의 서명이 든 이 메모지를 종이마패라고 불러 곧 유명해졌습니다. 구매절차가 간소화되긴 했지만 여전히 정치헌금을 내라는 압력을 받고 있었습니다. 그는 종이마패를 언급하면서 이런 요구들을 묵살하거나 정중하게 거절했습니다. 그럼에도 포항제철은 정치적 압력에서 벗어나기가 쉽지 않았습니다.

박 대통령 서거 후에야 박태준은 그 유명한 종이마패를 공개했습니다. 박태준에 대한 대통령의 무한한 신뢰가 있었기에 가능한 것이었습니다.

2. 이병철 회장의 선물

한 · 일 합병이 닥친 비운의 1910년에 태어난 삼성 이병철 회장은 박태준에게 인생 선배(17세 연상), 와세다대 선배, 경제계 선배였습니다. 대학은 똑같이 중퇴였습니다. 선배는 건강 문제로, 후배는 해방의 감격으로 도쿄를 떠났기 때문입니다.

"영일만의 기적이라는데, 나한테도 한번 보여줘."

이렇게 한마디 던진 이병철이 포항제철을 방문한 때는 1977년 6월이었습니다. 포항제철 현황에 대한 브리핑을 듣고 난 뒤 이 회장은 두 개의 질문을 했습니다.

"박 사장, 경영에 대한 이런 걸 다 어디서 배웠나? 재무구조는 어떻게 되고?"

"50% 수준의 부채비율, 차관의 조기상환, 3기 건설자금의

90%를 포항제철이 자체 조달했습니다."

이병철은 놀라운 표정을 감추지 못했습니다.

포항제철은 기나긴 역경을 헤치고 제2제철소를 광양만에 짓게 될 무렵이었습니다. 일본 철강업계가 매섭게 경계하고 나섰습니다.

"일본의 기술협력으로 힘을 얻은 한국 철강업계가 이젠 오히려 일본 시장을 잠식하고 있다".

1981년 11월 6일, 요미우리신문이 '부메랑 현상'을 경고하였습니다. 신일본제철 사이토 사장이 전적으로 한국의 제2제철소 건설의 기술협력을 가로막고 있었습니다. 박태준은 사이토 사장과 일본의 대한(對韓) 기술 이전 문제로 날카로운 언쟁도 벌였습니다. 이런 어려움을 겪던 1980년대 초의 어느 여름날, 이병철이 전화로 불러 찾아갔습니다.

"내가 이나야마 회장에게 자네 이야기를 했어. 사이토 사장이 협조하지 않는다고 했더니 곧 협조하게 만들겠다고 했네. 내가 이 선물 주려고 불렀어. 내일 공 치러 나가면 다른 말은 말고 감사하다는 말씀만 드리게."

얼마 안 지나 이병철, 이나야마가 마련한 선물이 날아들었습니다. 일본 철강업계가 장시간 회의 끝에 '광양제철소에 간접방식으로 기술협력을 한다'고 결정했다는 소식이었습니다. 이나야마 회장은 회의 발언 내용이 담긴 녹음테이프까지 보내왔습니다.

이병철은 박태준이 창안한 연수제도와 연수원과 연수투자에 대해 깊은 감명을 받았습니다. 연수가 기술식민지 극복의 첫 단계이고, 기술개발이 그 둘째 단계라는 박태준의 지론에 흔쾌히 동의했습니다.

"박 사장, 나랏일은 그만하면 많이 했어. 삼성중공업이 계속 적자덩어리야. 매년 300억 원씩 5년간 도와줄 테니 자네가 그걸 아예 가져가게."

박태준에 대한 무한한 신뢰였습니다. 선물의 크기가 아니라 박태준의 노후를 걱정하는 노선배의 마음이 박태준을 감동시켰습니다.

"마음만으로도 너무 감사합니다. 하지만 이제 광양제철소 건설을 시작했습니다. 광양까지 완수하는 것이 국가에 대한 도리가 아니겠습니까?"

"아름다운 대답이네. 그래, 자네답네. 자네가 고맙네!"

3. 앨 고어[1]의 아버지

"고어 후보와 나, 테네시주와 우리 가족은 특별한 인연이 있습니다."

---

1) 앨 고어는 미국 부통령을 하였으며, 대통령에 출마하였던 사람

2000년 미국 대통령 선거전에서 박태준은 미국 대통령에 출마한 후보 앨 고어의 유세장에서 마이크를 잡았습니다. 앨 고어는 클린턴 대통령 시절 부통령을 지낸 인물이었습니다.

"고어 후보가 GM의 소형 자동차공장을 고향에 유치하겠다는데, 그렇다면 포항제철은 여기에 자동차 강판공장을 세우겠습니다!"

앨 고어 유세장에 환호성과 박수가 터졌습니다.

박태준과 앨 고어 후보와의 사이에는 고어의 아버지와 관련이 깊었습니다. 고어의 아버지는 테네시주 상원의원(민주당)이자, 웨스트버지니아에 '강점결탄'을 소유한 재력가였습니다.

'강점결탄'은 화력이 강하면서도 쉽게 부서지지 않는 유연탄이었습니다. 좋은 철강을 만드는 데 빼놓을 수 없는 연료였습니다. 고어 탄광에서 나오는 유연탄은 세계 최상급이었습니다.

1970년대 중반이었습니다. 박태준은 고어 탄광의 유연탄 확보에 나섰습니다. 원료구매팀이 고어 상원의원의 탄광회사와 접촉했습니다. 처음엔 모욕적인 대접을 받았습니다.

"한국의 포항제철소는 정상적인 거래가 가능한 기업이기나 하는 거요?"

속이 상한 담당자가 눈을 똑바로 뜨며 맞받아쳤습니다.

"걱정 마십시오. 알아 보십시오. 우리 회사가 세계 철강업계에서 어떤 평가를 받는지…."

이런 전초전을 거쳐 박태준은 탄광 대표인 아버지 고어와 만나게 되었습니다. 아직도 한국을 삐딱하게 보고 있었습니다.

박태준은 어떤 여건 속에서 포항제철을 설립하였고, 단기간에 세계적인 철강회사로 만들게 된 배경을 자세히 설명해 주었습니다.

"당신과 이야기를 나누다 보니 당신네 회사를 확실히 믿게 되었습니다. 우리 서로 잘해 봅시다."

한번 거래를 튼 뒤부터 포항제철과 고어 탄광은 깊은 신뢰를 쌓아갔습니다.

아버지 고어는 포항제철에 많은 도움을 주었습니다. 포항제철의 철강제품이 미국에서 덤핑 판정을 받을 때마다 그는 보이지 않게 움직였습니다. 그의 영향력 덕분에 포항제철은 미국 시장에서 숱한 고비를 헤쳐 나갈 수 있었습니다.

미국 대통령 선거에서 앨 고어는 플로리다주 개표 시비가 보여주듯 초접전 끝에 부시 후보에게 지고 말았습니다. 자동차 공장 유치 공약이 취소되면서 강판공장 건설 약속을 거둬들였습니다. 그렇지 않았다면 1986년 샌프란시스코 근교에 진출한 포스코 냉연강판공장의 위치는 테네시주로 바뀌었을 것입니다.

박태준과 아버지 고어가 맺은 인연은 두 사람뿐만 아니라,

가족끼리도 왕래가 잦아 끈끈한 정을 이어갔습니다.

4. 구두약으로 갚은 은혜

박태준은 일에는 철두철미하고 엄격한 성격의 소유자였습니다. 포항제철을 건설할 당시 그는 항상 헬멧을 쓰고 손에는 지휘봉을 들고 현장 여기저기를 돌아다녔습니다. 그러다가 허술한 부분이나 시원찮은 부분을 발견하면 곧바로 담당자를 불러 지휘봉을 날리는 사람이었습니다.

그러한 반면 인간적인 정을 베풀려고 노력한 사람이었습니다. 업무상 과실로 회사를 떠난 사람들에게 생계를 꾸려가도록 일자리를 알선해 주었다는 이야기는 포항제철 안에 심심찮게 돌아다니는 이야기였습니다.

"나는 정두화라는 사람에게 참으로 큰 은혜를 입었어요."

박태준은 정두화라는 사람에게 항상 비안하게 생각하였습니다. 정두화는 박태준의 둘째 딸이 심하게 아팠을 때 직접 자기 차를 가져와 병원으로 싣고 가서 치료해 준 사람이었습니다. 그 덕분에 딸의 목숨을 구할 수 있었습니다.

'그 은혜를 갚기는 갚아야 할 텐데….'

그 은혜를 갚을 수 있는 기회가 1965년경 의외의 곳에서 찾아왔습니다. 박태준은 대한중석 사장 시절이었습니다. 정두화는 국방부 요청으로 '태양사'를 세워 구두약을 만들고 있었습니다.

아무것도 아닌 구두약이었지만, 거기에도 빈곤한 나라의 아픈 사연이 담겨 있었습니다. 휴전 뒤 우리 군인들은 미국이 제공한 군화를 신었습니다. 미제 군화는 민간에서도 인기가 높았습니다. 그런데 한국군의 군화 소모량이 엄청났습니다. 미군은 우리 군대가 빼돌려 그런 줄 알고 조사까지 했습니다. 그러나 결과는 '구두약을 칠하지 않았기 때문'이라고 판정이 나면서 일단락되었습니다.

이런 배경에서 탄생된 태양사는 한동안 기술과 설비 부족으로 어려움이 많았습니다. 가마솥에서 삶아낸 구두약을 깡통에 손으로 퍼 담는 수준이었습니다. '국산'이란 비아냥이 따라붙어 다니고 있어 상품의 평판은 말이 아니었습니다.

태양사의 딱한 사정을 전해 들은 박태준은 관련자들을 수소문하였습니다.

"일본 구두약으로 유명한 게 뭐가 있나요?"

"3H예요. 치약처럼 튜브에 든 것도 있어요."

"잘 알겠소, 고맙소!"

얼마 뒤 일본 3H사 간부 네 명이 서울로 날아왔습니다. 박태준의 요청에 따라 일본 정계 · 재계 거물들이 중소업체인 3H사 대표에게 한국의 태양사와 기술 제휴하라고 부탁한 것이었습니다.

"한국의 태양사는 발전 가능성이 높은 구두약 제조업체니 함께 일해 보도록 주선해 주시지요."

우여곡절 끝에 태어난 것이 '말표구두약'이었습니다. 그 후 미국 제품도, 일본 제품도 한국에 발을 못 붙이게 만든 그 유명한 국산 구두약이 되었습니다.

5. 박태준을 수입하지요

1978년 8월 중국 최고 실력자 덩샤오핑(鄧小平)이 일본 기미쓰 제철소를 방문하였습니다. 제철소를 둘러본 덩샤오핑은 이나야마 요시히로(稻山嘉寬) 당시 신일본제철 회장에게 부탁하였습니다.

"중국도 한국의 포항제철 같은 현대화된 일관제철소를 만들고 싶다."

"중국엔 박태준 같은 사람이 없어서 어려울 것이다."

"무슨 소리요? 중국 인구가 10억이나 된다."

"10억이든 15억이든 없는 건 없는 것이다."

"그럼 박태준을 수입하면 될 것 아니냐?"

이에 덩샤오핑이 농담처럼 '박태준 수입'을 이야기한 것이었습니다. 그해 말 일본 도쿄에서 박태준을 만난 이나야마 회장은 이렇게 말했습니다.

"박 사장, 중국에 납치될 수도 있으니 조심하세요."

덩샤오핑은 우리나라와 중국이 수교한 1992년 여름 상하이 영빈관으로 박태준을 초청했습니다. 덩샤오핑은 정각 밤 12시에 나타나 한국의 비약적인 경제 발전, 포항제철의 선도적 역할을 얘기하더니 "중국에 당신네 같은 제철소를 짓고 싶은데 도와 달라"고 요청했습니다.

"내가 일본에 가서 이나야마 요시히로(稻山嘉寬) 신일본제철 회장한테 들었는데 '제철소는 돈이나 기술로 짓는 게 아니라 사람이 만든다'고 하더라. 도와 달라."

"우리는 산업화로 나라를 지켰다. 북한의 공격을 막아내기 위해 포항에, 구미에 산업단지를 만들었다. 중국이 우리나라처럼 근대화로 쭉 나아갈 수 있겠나."

"그 문제는 걱정하지 마라. 내가 죽더라도 근대화 노선을 뒤집을 사람은 없다. 내 뒤의 지도자들까지 다 줄 세워 놨다."

박태준은 귀국한 뒤 덩샤오핑이 보낸 바오산(寶山)강철의 셰치화(謝企華) 부사장에게 포항 · 광양 공장을 세밀하게 견학시켰습니다. 그는 제철소의 설비 도면, 회사 규정집 등을 받아갔습니다.

박태준은 덩샤오핑과의 만남은 중국 당국의 요청에 따라 죽을 때까지 비밀로 부치기로 했습니다. 그래서 영빈관에 갈 때

수행비서조차 데려가지 않았습니다. 이 같은 사실은 '중앙일보 전영기 논설위원'이 박태준 생전에 취재에서 알게 되었으나, 그 역시 비밀로 지켜오다 마침내 밝히게 되었다면서 다음과 같이 이야기하였습니다.

"덩샤오핑은 박태준과 면대면의 인격적 접근이 필요했을 것이다. 직접 만남을 통해 자기 조국과 인민의 먹고사는 문제와 직결된 철강 기술을 전수해 달라고 간절히 호소하고 싶었을 것이다. 사람의 혼과 애국심이 배어든 이런 종류의 기술은 메마른 계약서 몇 장으로 결코 얻어낼 수 없다는 진실을 덩샤오핑도 알고 박태준도 알았을 것이다. 이런 만남이 공개될 경우 누군가가 의도를 왜곡하고 행동을 방해할 수 있다는 이심전심이 두 사람을 침묵시킨 이유였으리라."

박태준과 덩샤오핑은 서로를 믿음으로 만나 허심탄회하게 이야기하고 싶었던 것입니다.

6. 18년 만에 내려간 묵은 체증

박태준은 1986년 4월 로마에서 열린 세계철강협회(IISI) 이사회에 참석했습니다. IISI는 철강 생산량이 200만 톤을 넘어야 정회원이 될 수 있고, 연산 1000만 톤을 초과한 회원에겐 두 표의 의결권을 주었습니다. 포스코는 1977년에야 간신히 정회원이 될 수 있었습니다.

로마 이사회에서 나타난 선진국들의 입장 변화는 인상적이었습니다. 미국은 3년 전 빈에서 열린 IISI 이사회 때 광양제철 건설에 가장 반대했습니다. 유에스스틸(USS) 로데릭 회장은 광양제철에 참여한 오스트리아와 독일 철강업계를 노골적으로 비난했고, 미국 상무성 차관도 불쾌하다는 반응을 보였습니다.

그런데 불과 3년 만에 세상인심은 달라져 있었습니다. 한결같이 광양제철에 호감을 표시했습니다. 더구나 USS의 로데릭은 로마 이사회 바로 직전에 포항제철과 손잡고 내연강판 공장인 UPI를 설립하였습니다.

박태준이 로마에서 뿌듯한 자부심을 느끼며 발걸음을 옮긴 곳은 런던이었습니다. 국제입찰에서 광양 1기(270만 톤 생산 규모) 고로를 처음 낙찰받은 영국의 데이비 매키와 만나기로 약속했기 때문이었습니다. 런던에 온 김에 영국인 자페를 만났습니다.

자페는 포항제철이 탄생한 1968년 당시 세계은행(IBRD)의 철강 산업 담당자였습니다. 그런 그가 포항제철을 '생존 불가의 미숙아'라고 판정하는 바람에 대한 국제제철차관단(KISA)이 해체되고 말았습니다. 그 바람에 한국에 올 차관이 브라질 차지가 되었습니다.

자페는 런던에서 컨설팅 업체를 운영하고 있었습니다. 박태준은 오후 6시 '팡스'라는 중국식당에서 그를 만나 즐거운 식사를 하다 끝무렵에 그에게 물었습니다.

"국제차관으로 세운 브라질 제철소는 현재 400만 톤 수준이고, 포항제철 생산 능력은 곧 1,200만 톤을 돌파합니다. 18년 전 당신이 내린 판단에 대해 어떻게 생각합니까?"

자페는 미소를 머금었습니다.

"나는 성실하고 공정하게 보고서를 썼습니다. 지금 다시 쓰더라도 결론은 똑같을 것입니다."

잠시 말을 끊은 그가 생각에 잠겼습니다.

"다만 그때 간과한 것이 하나 있었습니다. 바로 당신입니다. 나는 포항제철에 박태준이 있다는 사실을 몰랐던 겁니다."

"아니요. 당신은 한국을 몰랐습니다. 한번 순수한 의지로 뭉치면 상식을 초월하는 힘을 발휘하는 것이 포항제철 맨이고 한민족입니다."

박태준은 18년 묵은 체증이 내려가는 시원한 느낌이었습니다.

박태준은 자리에서 일어나면서 그를 서울올림픽에 초대했습니다. 자페는 1988년 9월 서울에 왔습니다. 그는 포항제철이 당당히 두 표를 행사하는 IISI 총회를 지켜본 뒤 포항제철도 방문했습니다. 박태준은 그를 극진히 안내해 주었습니다. 그것은 옛 친구에 대한 따뜻한 예의였습니다.

7. 김호길 박사

1985년 6월 4일, 효곡 주택단지 포스코 영빈관에는 박태준, 김호길 박사 내외, 그리고 이대공 포항공대 건설본부장이 자리를 함께했습니다. 연암공전 학장인 김호길 박사를 포항공대로 모셔오기 위한 자리였습니다. 이대공 본부장은 그를 모셔오기 위해 삼고초려를 감수했습니다.

그 무렵의 김호길 박사는 가슴에 울분을 품은 사람이었습니다. 물리학계에서 높은 명성을 얻은 학자로서 럭키금성사(현 LG그룹)의 제안을 받아들여 세계적 공과대학을 만들기 위해 30년 가까운 외국생활을 청산하고 조국으로 돌아왔지만 불행하게도 경상남도 진주의 '연암공업전문대학'을 4년제 대학으로 승격시키려던 노력이 좌절되고 말았던 것입니다.

그 운명적인 초여름의 저녁 김 박사가 박태준에게 남긴 첫 인상은 과학과 공학으로 조국에 기여하고 싶다는 뜨거운 사명감과 그에 어울리는 강력한 자신감이었습니다.

이대공 본부장을 조마조마하게 만들었을 정도로, 다시 말해 초면의 박태준에게 결례로 비칠 정도로 말씨에도 거침이 없었습니다.

"칼텍(CALTECH, 캘리포니아 공과대학)을 봤어요. 바로 그런 세계적인 연구중심대학을 만들고 싶소."

박태준은 자신이 꿈꾸며 구상하고 있던 대학 모델을 이야기하였습니다.

"쇠만 만들 줄 아시는가 했는데 제철회사 사장님이 대학에 대해서도 좀 아시네요."

김호길은 박태준이 포항공대를 설계하는 단계에서 미리 캘리포니아 공과대학을 찾아갔던 치밀한 준비성을 몰라서 하는 소리였습니다.

"만약 제가 포항에 온다면, 지금은 포항제철 부설 포항공대지만 나중에는 포항공대 부설 포항제철이 될 겁니다."

또한 그는 포스코 경영진이 들었으면 '너무 기고만장하시는군'이란 핀잔을 돌려받았을 이런 큰소리도 꽝꽝 떠들었습니다.

"학사운영에 관한 전권을 나에게 일임해 주셔야 합니다."

박태준은 그를 신뢰했기에 사립학교법에 보장된 재단이사장의 권한을 그의 손에 맡겼습니다. 교수 초빙에 대해서도 전혀 간섭하지 않았습니다.

당시의 막강한 인물이 박태준에게 간곡하게 교수 채용에 관한 부탁을 해왔을 때, 그는 김호길 총장에게 이력서를 보냈습니다. 김호길 총장은 그 이력서에다 '불가'란 빨간 딱지를 붙여 돌려보냈습니다. 그 다음부터 박태준은 같은 청탁이 들어오면 그 일을 들려주고는 살며시 발뺌하였습니다.

"우리 총장한테 직접 부탁해 보라."

김호길은 국내 최초의 연구중심대학으로 기술 입국을 실현하겠다는 신념과 교육철학을 바탕으로 순수 국내 기술로 포항방사광가속기 제작을 주도하는 등 우리나라 기초과학 분야에도 새 이정표를 세웠습니다. 그러나 1994년 김호길 총장은 불의의 사고로 세상을 떠났습니다. 포스텍은 1997년 김 전 총장의 호를 딴 무은재 기념관을 개관하여 김 전 총장의 친필, 의류 등의 유품과 업적을 전시해 놓았습니다.

8. 거양해운 사라지다

광양 4기의 설비 구매를 마친 1990년 초 무렵이었습니다. 일본 미쓰비시가 박태준 개인에게 주겠다며 엄청난 선물을 들고 찾아왔습니다.

"우리 그룹 전체 이사회에서 지난 20년 동안 미쓰비시가 가장 많은 설비를 포스코에 팔았는데, 아무리 거절했다손 치더라도 박 아무개에게 인사 한번 안 차린 것은 도리가 아니라는 결론을 내리고 가져온 것입니다."

그 회의에서 '미쓰비시 은행이 장기 저리로 대출해 화물선을 만들고, 화물 알선까지 책임지는 해운회사를 세워 주어 그 수익금을 전액 관리하게 하자'고 제안했습니다.

"뜻은 고맙소만, 그 돈을 개인이 받을 수 없소. 대신 포항공대를 지속적으로 키워나가기 위해 수익금 전액을 장학재단에 들어가게 하는 방안을 마련하겠소."

박태준은 대신 '지배주주는 포항공대 재단으로 하자'고 제안했습니다. 포항공대의 안정적인 발전기금을 확보하기 위한 아이디어였습니다.

그런 합의 조건 아래 거양해운이 탄생했고, 포항제철도 자금을 출연했습니다. 박태준은 포항제철에서 사라져도 누구도 장난치지 못하도록 "차관의 95%를 상환할 때까지는 제3자에게 양도할 수 없다"는 단서까지 달아두었습니다.

미쓰비시은행의 약속대로 차관이 도착해 화물선이 건조되었습니다. 1995년 당시 거양해운은 현대 · 대우 · 삼성중공업에서 만든 15만~20만 톤급 화물선 10척을 보유했고, 차관 상환은 20% 수준이었습니다.

하지만 박태준은 이런 사실을 세상에 알리지 않았습니다. 1990.6.19일자 동아일보는 다음과 같이 보도하였습니다.

"포항제철 산하 육영재단인 제철장학회가 최근 국제상선의 선박과 면허권을 17억 원에 인수, 대주상선을 설립하고 해운

항만청으로부터 동남아부정기화물면허를 취득, 해운업계에 진출했다. 제철장학회가 국제상선으로부터 인수한 5,600톤급 원목운반선 1척과 6,300톤급 1척 등 2척이다. 포항제철은 이번 국제상선의 인수목적이 포항제철직원 자녀들에 대한 장학금 지급 확대를 위한 재원 마련 때문이라고 설명했다. 그러나 해운업계는 포항제철이 이를 계기로 본격적으로 해운산업에 진출할 경우 국내 해운업계의 과대경쟁을 우려하고 있다."

1995년 1월 일본 미쓰비시 상사의 임원 두 사람이 도쿄의 13평짜리 박태준 아파트로 찾아왔습니다.

"포스코 김만제 회장이 구조조정 차원에서 거양해운을 매각하겠다고 합니다. 저희는 법적 대응을 강구할 계획입니다만 먼저 박 회장님의 의견을 구하고 싶습니다."

박태준은 미쓰비시와 한국 사이가 껄끄러워질 것을 염려해 법적 대응만은 만류했습니다. 결국 미쓰비시는 포스코 회장의 차관상환 보증각서까지 받고 매각에 동의해 주었습니다. 포항공대가 53.3%, 포스코가 46.7%의 지분을 가진 거양해운은 1995년 3월 공개입찰을 거쳐 한진그룹으로 넘어갔습니다. 포항공대의 듬직한 안정적 재원이 사라진 날이었습니다. 아니 박태준의 신뢰가 사라지는 날이었습니다.

정박사 리더십이야기

신뢰에 대하여

신뢰는 상대방을 설득하여 움직이게 하고 좋은 관계를 형성하는 바탕입니다. 즉 인간관계에 있어서 뿌리가 되는 것입니다. 리더십에 있어서 신뢰받는 리더는 어떤 사람일까요? 인성도 좋으면서 능력도 있는 사람입니다. 즉 상대방으로부터 신뢰를 얻기 위해서는 상대에게 이익을 줘야 하는 것입니다. 사람들에게 지금까지 살면서 가장 신뢰하는 사람이 누구냐고 물어보면 많은 사람들이 '엄마'라고 대답한다고 합니다. 그 이유는 엄마는 자신에게 가장 많은 이익을 일관적으로 준 사람이기 때문입니다. 신뢰의 반대말은 '배신'입니다. 이 역시 이익과 관련된 말이기도 합니다. 배신자라고 말하는 경우는 대개 나는 그에게 이익을 주었는데 상대방은 나에게 손해나 피해를 주었을 때 그렇게 부릅니다. 따라서 신뢰의 본질은 이익이고, 어떤 사람과 신뢰를 쌓고 싶다면 먼저 그에게 도움이 되는 이익을 주는 행동을 해야 하는 것입니다. 신뢰를 얻기 위한 가장 간단한 행동은 내가 상대에게 먼저 주는 것입니다. 그것이 물질이든 서비스이든 정보이든 상대에게 주어야 합니다. 여기서 중요한 것은 필요 없는 것이 아닌 상대방에게 실질적으로 도움이 되는 이익을 주는 행동이어야 합니다.

상대방에게 신뢰를 얻기 위해서 필요한 또 하나는 전문성과 능력을 갖추는 것입니다. 신뢰를 얻기 위해서는 자신이 맡은 역할을 잘 수행할 수 있는 능력을 갖추어야 합니다. 사냥꾼이 사냥을 못하고, 의사가 병을 고치지 못하면 신뢰를 얻을 수 없을 것입니다. 따라서 신뢰를 얻기 위해서는 기본적으로 자신의 역할을 잘 할 수 있는 능력을 갖추어야 합니다.

박태준은 포스코 경영 당시 부하들과의 신뢰 관계 형성의 중요성에 대하여 다음과 같이 강조하였습니다.

"회사와 조직보다는 사람이 중요합니다. 한 가지 의견이라도 회사 발전에 도움이 되는 말을 하는 사람이 있는 반면에 어떻게 해서든 일을 덜 하려고 잔꾀를 부리는 사람이 있습니다. 회사발전에 도움이 되는 사람에게는 칭찬과 믿음에 대한 마음을 아낌없이 주고, 게으름을 피우고 다른 사람에게 일을 넘기려 하는 사람에게는 지적하기보다는 진정성을 가지고 올바른 방법을 알려주면 직원들과의 신뢰관계가 올라갈 것입니다. 그런 관리자가 우리 회사에는 많기를 바랍니다."

서로 간의 신뢰가 무너지기 시작하면 그 사람이 하는 모든 행동에 의심이 가고, 어떤 일을 해도 좋게 생각되지 않게 됩니다. 그래서 관계는 점점 나빠지고 좋은 관계를 유지하기에 힘들게 되는 것입니다. 따라서 부하가 리더를 신뢰하지 않는다면 그 조직은 절대 어떤 일을 성공적으로 해내기 어려울 것입니다. 반대로 부하들이 리더를 신뢰하고 따른다면 리더가 하자는 일에 대하여 열정을 가지고 일할 것이고, 구성원들 간에 협동도 잘 이루어져 좋은 결과를 가져올 수 있을 것입니다. 누군가에게 신뢰를 받고 있다고 느끼는 그 자체만으로도 사람은 살아가는 데 큰 행복감을 느끼게 된다고 합니다. 신뢰는 정말 대단한 힘을 발휘한다는 것을 잊지 말기 바랍니다.

※ 박태준의 일대기

1927

경남 동래군 장안면(현 부산시 기장군 장안읍) 임랑리에서 아버지 박종관과 어머니 김소순의 6남매 중 장남으로 출생(음력 9월 29일).

1931 4세

백부 박봉줄 도일(渡日).

1932 5세

천황제 파시즘 체제 등장. 아버지 박봉관 도일.

1940 13세

5년제 이야마북중학교 입학.

1944 17세

일본 육사 입교 권유 거부. 와세다대 공대로 진학 결심. 소결로 공장에 노력봉사대원으로 배치. 제철과 초면.

1945 18세

와세다대 기계공학과 입학. 미군의 도쿄 3월 대공습으로 죽을 고비 넘김. 8 · 15광복을 맞아 가족과 귀국. 서울에 가서 학업을 계속할 길을 모색하나 좌절.

1950 23세

한강 이남으로 철수하라는 전문을 받고 후퇴. 8월에 포항 형산강전투 참전. 이후 북진하여 청진까지 올라갔다 1 · 4 후퇴 대열에 오름.

1953 26세

육군 중령으로 5사단 참모. 충무공 훈장, 은성화랑무공훈장, 금성화랑무공훈장 받음. 화천수력발전소 방어를 위한 중공군과의 교전 지휘(부연대장). 5사단의 지리산 잔비 토벌작전을 위한 부대 이동 작전 수립 뒤 11월 육군대학 입교.

1954 27세

금성화랑무공훈장 받음. 육군대학 수석 졸업. 육사 교무처장 부임. 진해에서 태릉으로 육사 이전 계획 수립. 12월 20일 장옥자와 결혼. 후배 장교 황경노와 만남.

1933 6세

어머니와 도일하여 아다미에 정착. 이듬해 초등학교 입학.

1936 9세

아버지가 찌구마가와(天曲川) 수력발전소로 옮겨 나가노현 이야마로 이사.

1939 12세

초등학교 6학년으로 스키(활강, 점프) 대회 참가.

1946 19세

와세다대 기계공학과 2년을 마치고 중퇴.

1948 21세

귀국 후 취업 좌절로 칩거하다 부산 국방경비대에 지원. 훈련 중 남조선경비사관학교 (육군사관학교) 6기 생도로 선발되어 입교. 제2중대장으로 탄도학을 강의하던 박정희 대위와 초면. 단기 과정 수료 후 육군 소위로 임관(7월 28일). 육군 제1여단 제1연대 소대장으로 부임.

1949 22세

미군 철수. 육군 대위로 7사단 1연대 중대장에 부임하여 철원 배치.

1955 28세

육군대령으로 진급.

1956 29세

국방대학교 입교. 첫 딸을 폐렴으로 잃음. 8월 국방대학교 수료 후 국가정책 수립 담당 제2과정 책임 교수 부임. 11월 국방부 인사과장으로 전임. 공군 고준식 대령과 만남. 국회에서 국방위 소속 의원 김영삼과 초면.

1957 30세

장녀(진아) 출생. 10월 박정희 장군(1군단 참모장과 재회). 25사단 참모장으로 옮김. '가짜 고춧가루' 사건.

1958 31세

25사단 71연대장으로 국군의 날 시가행진부대 지휘. 꼴찌 사단이던 25사단을 최고사단으로 바꾼 뒤 육군본부 인사처리과장 부임. 박철언과 초면.

1959 32세

도미시찰단장으로 미국 방문.

1960 33세

부산 군수기지사령부 사령관 박정희의 인사참모. 박정희 좌천 후 두 번째 도미. 미국 육군 부관학교 3개월 교육.

1976 49세

포항 2기 설비 종합 준공.(연산 조강 260만 톤 체제 확립.) 포항 3기 설비 종합 착공. 학교법인 제철학원 설립 및 초대 이사장 취임.

1977 50세

세계철강협회(IISI) 이사 피선. 기술 연구소 설립. 제1제강공장 사고. 포스코 '안전의 날' 선포(4월 24일).

1978 51세

미 시티은행과 정부 무담보 1억 달러 차관 계약 체결. 포항제철 공업고등학교 개교. 현대와의 제2제철소 실수요자 경쟁 종식과 실수요자로 확정. 포항 3기 설비 종합 준공(연산 조강 550만 톤 체제 확립). 동아일보 '올해의 인물'로 선정.

1982 55세

마닐라, 뉴델리에 주재원 파견. 광양만 부지 조성 공사 착공. 타노마 탄광 준공.

1983 56세

포항 4기 2차 설비 종합 준공(연산 조강 910만 톤 체제 확립). 광양제철소 준설 매립공사 착공. 광양제철소 개소식. 캐나다 그린힐스 광산 합작개발 준공. 독일 공로 십자훈장 받음.

1984 57세

광양제철소 1기 열연 공장 착공.

1961 34세

육군본부 경력관리기구위원으로 근무 중 5·16 발발, 박정희의 배려로 거사명단에서 빠짐. 5월 16일 아침부터 계엄사령부 요원 근무. 국가재건최고회의 의장 비서실장. 국가재건최고회의 재정경제위원회 상공담당 최고 위원 취임. 산업 실태 시찰. 차녀(유아) 출생. 육군 준장 진급.

1962 35세

제1차 경제개발5개년계획에 참여. 무연탄 개발을 통한 국토녹화사업 적극 건의.

1963 36세

박정희의 정치 참여 요청을 거부하고 미국 유학 준비. 3녀(근아) 출생. 육군 소장으로 예편.

1979 52세

오스트리아 금성공로대훈장과 페루 대공로 훈장 받음. 포항 4기 설비 종합 착공. 인덕제철유치원 개원. 기업체질강화위원회 구성. 타노마 사무소 개설.

1980 53세

포항제철중학교 개교. 밴쿠버, 멕시코시티 사무소 개설. 국보위 입법회의 제1경제위원장, 한일의원연맹 한국 측 회장 피선. 부친 별세.

1981 54세

사단법인 한일경제협회 회장 피선. 포항 4기 설비 종합 준공(연산 조강 850만 톤 체제 확립). 포항제철고등학교 개교. 제11대 국회의원 민주정의당(민정당) 비례대표 당선, 국회재무위원장 피선. 포항 4기 2차 설비 착공. 새 정부와의 긴 씨름 끝에 제2제철소 입지를 광양만으로 확정.

1985 58세

포항공과대학교 설립 착수. 고준식 사장 퇴임(사장 안병화 취임). 광양제철유치원, 초등학교 중학교 동시 개교. 광양 1기 설비 종합 착공. 제철연수원 백암수련관 준공. 미국 USS(유에스스틸)과 합작회사 설립 합의.

1986 59세

USS와 합작회사 UPI 설립. 광양 2기 설비 종합 착공. 광양제철고등학교 개교. 내방객 500만 명 돌파. 포항공과대학교 개교. 포항산업과학기술연구원(RIST) 착공. UPI 설비 현대화 공사 착공. USX(USS의 변경 사명) 노조 전면 파업 돌입.

1987 60세

포스텍 첫 입학식. 재단법인 RIST 창립 및 초대 이사장 취임. 포항제철초등학교, 포항제철서초등학교 개교. 광양 1기 설비 종합 준공(연산 조강 270만 톤 체제, 전체 1천220만 톤 체제 확립). 영국금속학회 제114회 베서머금상(5월 13일). 브라질 남십자성훈장, 페루 대십자공로 훈장 받음.

1988 61세

제13대 국회의원 민정당 비례대표 당선. 미국 카네기멜런대학 명예공학박사 학위, 영국 셰필드대학 명예금속공학박사 학위 받음. 한일의원연맹 한국 측 회장 피선. 포항제철주식 상장(국민주 1호). 광양 2기 설비 종합 준공(연산 조강 540만 톤 체제 확립). 광양 3기 설비 종합 착공.

1989 62세

포항제철소 누계 출강량 1억 톤 달성. 영국 버밍엄대학 명예공학 박사학위 받음. 포항스테인리스 1공장 준공.

1990 63세

민정당 대표 취임. 노태우, 김영삼, 김종필의 3당 합당으로 민주자유당(민자당) 출범, 최고 위원 취임. 포항제철 부회장 황경노 취임. 비엔나, 테헤란 사무소 개설. 광양 3기 설비 종합 준공(연산 조강 810만 톤 체제 확립). 프랑스 레종 도뇌르 훈장 받음. 국내 최초 축구 전용 잔디구장 포항 준공.

1994 67세

포항제철회장 김만제 취임. 포스텍 초대 총장 김호길 별세(4월 30일). 중국의 초청 거부. 모친 별세. 포항방사광가속기 준공. 포스코신문 창간. 포항제철 주식 뉴욕 증시 상장.

1995 68세

뉴욕 코넬대학병원에 폐렴으로 입원. 포스코센터 준공. 학교법인 제철학원에서 포스텍 분리.

1996 69세

총선 앞의 여야 영입제 거부.

2000 73세

자민련 총재 사퇴, 국무총리 취임. 소량의 각혈 시작. 4월 총선의 여권과 자민련 패배. 5월 19일 총리 사임. 신세기 통신 지분 SK에 매각. 포항 테크노 이사회 창립. 포항제철 민영화 완료(10월 4일).

2001 74세

뉴욕 코넬대학병원에서 폐 밑 물혹 제거 수술. 뉴욕에서 9 · 11 테러 현장 목격. 포항제철 명예회장 재추.

2002 75세

수술 후 7개월 만에 귀국. 신의주 특구 장관내정설. 사명 '포항종합제철주식회사'(포항제철)를 '주식회사 포스코'로 변경(3월 15일).

1991 64세

광양 4기 설비 종합 착공. 포스텍 제1회 졸업식. 노르웨이, 오스트레일리아 최고 훈장 받음. 포항 방사광가속기 착공. 캐나다워털루대학 명예공학박사 학위 받음. 고준식 별세.

1992 65세

베트남과 포스비나 합작 설립. 위리코프상 수상. 광양 4기 설비 종합 준공 및 '포항제철 4반세기 대역사 준공'(연산 조강 2천100만 톤 체제 확립). 포스코 회장 사퇴 및 명예회장 추대. 포항제철회장 황경노, 사장 박득표 취임.

1993 66세

해외 유랑, 도쿄 13평 아파트 생활 시작. 포항제철 회장 정명식, 사장 조말수 취임(황경노, 박득표, 이대공, 유상부 등 이른바 'TJ파' 퇴임). 포항제철 세무조사. 본인, 가족 친인척, 측근들에 대한 전방위 비자금 조사.

1997 70세

5월 초 귀국, 포항 북구 보궐선거 당선. 김영삼 정권의 경제적 실정 중점 비판, 비전역설. DJT 연대, 자민련 총재 취임. IMF 관리체제의 국가 부도 위기 사태를 수습하기 위해 동분서주. 사보 『쇳물』 폐간(통권 309호). 베네수엘라 포스벤 합작계약 체결.

1998 71세

'재벌 개혁의 전도사'로 불림. 포항제철 회장 유상부 취임.

1999 72세

김대중과 주례 회동으로 현안을 조정하며 경제 회생과 정치개혁에 주력. 광양 5고로 완공(연산 291만 톤 증설).

2003 76세

'중국발전연구기금회' 고문으로 초빙되어 베이징 댜오위타이 '2003년 중국발전고위층논단'에 참석, 중국 경제에 대한 연설. 포스코 회장 이구택 취임.

2004 77세

미국의 세계적 철강 분석 전문 기관 WSD가 포스코를 세계 철강회사 중 3년 연속 경쟁력 1위로 선정. 희수와 금혼식의 해. 『세계 최고의 철강인 박태준』(이대환 지음) 출간.

2005 78세

한일국교정상화 40주년 기념 학술대회 기조 연설. 평전 『세계 최고의 철강인 박태준』 중국어판 『세계 제일 철강인 박태준』 출간 및 베이징 출판기념회 참석.

2008 81세

포스코 청암재단 이사장 취임.

2009 82세

포스코 회장 정준양 취임. 고려대학교 명예경영학박사 학위 받음.

2010 83세

평전 『세계 최고의 철강인 박태준』, 베트남어판 『철의 사나이 박태준』 출간 및 하노이 출판기념회 참석, 국립하노이대학 특별 강연.

2011 84세

현장 근무, 퇴직 직원들과 10년 만의 재회 행사인 "보고 싶었소! 뵙고 싶었습니다"에 참석해 눈물의 명연설을 남겼으며, 이것이 생애 마지막 연설이 됨(9월 19일). 포스텍 구성원과 포항 시민이 성의를 모아 포스텍 노벨동산에 '청암 박태준 조각상' 건립(12월 2일).

2011 84세

12월 13일 오후 5시 20분 향년 84세로 타계. 청조근정훈장 추서, 사회장으로 12월 17일 서울 국립현충원 국가유공자 묘역에 안장.

※ 참고문헌

권상우, 『박태준 경영철학1』, 아시아, 2012.

박철순, 『박태준 경영철학2』, 아시아, 2012.

백기복 외, 『박태준의 리더십』, 아시아, 2012.

서갑경, 『최고기준을 고집하라』, 한국언론간행회, 1997.

서갑경, 『박태준의 삶과 시대정신』, 일곡문화재단, 2014.

송복 외, 『박태준사상, 미래를 열다』, 아시아, 2012.

송복 외, 『태준이즘』, 아시아, 2012.

안종진 외, 『박태준의 삶과 리더십』, 포스코교육재단&박태준미래전략연구소, 2014.

이경윤, 『박태준처럼』, (주)FKI미디어, 2013.

이대환, 『세계 최고의 철강인 박태준』, 현암사, 2004.

이대환 외, 『청암 박태준』, 아시아, 2012.

정인재 외, 『박태준의 정신세계』, 아시아, 2012.

조정래, 『박태준』, 문학동네, 2007.

최동주 외, 『포스코의 창업정신과 청암의 리더십』, 아시아, 2014.

허남정, 『실종된 한일관계 박태준이 답이다』, 도서출판 씽크스마트, 2014.

박태준, 『쇳물은 멈추지 않는다』, 중앙일보 2004.8.1.−12.8.(90회 연재)

〈박태준리더십 집필진〉

박 보 영

경인교육대, 건국대 경제학과(교육경제), 중앙대 교육대학원(유아교육 석사)
국립 경상대 대학원(교육학 박사), 전임 포스코 교육재단 초등학교 교장
박보영토론학교 교장, 눈높이 교육자 대상 수상(주식회사 대교)

출판:
- 글로벌 인재 대립토론으로 키운다(교육과학사) 외 대립토론 관련 책 9권
- 은퇴 후 아름다운 삶을 위한 '151030' 전략, 교육과학사(신간)
- 경향신문에 "토론교육 어떻게 할까"(대립토론 내용을 중심으로) 연재
- 온라인 강좌 운영: 맘스쿨, 그리고 "교육칼럼" 연재
- 박보영토론학교 Blog 운영: http://debating.tistory.com
- 『대립토론(온라인 강좌)』운영: 맘스쿨 http://www.momschool.co.kr/에서

박 노 일

경인교육대, 청주대 법학과, 대구가톨릭대 대학원(상담심리 석사)
전임 포스코 교육재단 초등학교 교사, 전임 김천대 강사(교육학)
전임 포스코 교육재단 연구위원, 전임 포항생명의 전화 상담사(1,500시간 봉사)
충북노인보호전문기관(상담봉사)
청주시 다문화가족 검정고시 교육지도
산림교육전문가(숲해설가, 숲치유사)
전임 경북숲해설가협회 상임대표
행복한 4도3촌 생활자

박 행 신

목포교육대, 순천대 교육대학원(국어교육 석사)
전임 포스코 교육재단 초등학교 교사
초등학교 국어과교과서 연구 및 심의위원(한국교육평가원)
초등학교 수석교사
한국문인협회 회원, 한국동시문학회 이사
문예창작교실 강사
광주일보 신춘문예 동시 당선
제3회 눈높이 아동문학 동시 당선

동시작가
한국동시 100년 역사를 빛낸 동시인 111명에 선정
초등학교 국어 교과서 동시 수록
전남문화상 문학부문 수상
한국예총공로상 수상

작품집
- 융합동시집 〈아하, 그렇구나〉
- 박행신 동시선집 외 3권

김 남 규

강릉교육대, 관동대, 관동대 교육대학원(상업교육 석사)
전임 포스코 교육재단 초등학교 교사
제3회 대한민국 스승상 수상(옥조근정훈장)
숲 해설가

정 기 준

영남대 대학원 경영학 석 · 박사
미국 네브래스카 주립대 연구원
한양대 리더십센터 책임연구원
경북대 경영학과 겸임교수
포항공과대 리더십센터 부센터장
포항공과대 글로벌리더십 센터장
포항공과대 박태준미래전략연구소 교수
'정박사 리더십 이야기' 집필

ㅣ행 · 재정ㅣ

이 우 용

경북대 경제통상학부
포항공과대 기획/교무/산학팀
포항공과대 박태준미래전략연구소 과장